CLAUS RÄFLE

DIE UNSICHTBAREN

Untertauchen, um zu überleben.
Eine wahre Geschichte

ELISABETH SANDMANN

INHALT

VORWORT

VORWORT

VOM MUT ZU HELFEN

Es wird immer deutlicher: Heraus kommt keiner mehr. Im Zweiten Weltkrieg ist Berlin das Zentrum der Naziherrschaft, und Hitler will es „judenfrei". Die Stadt ist durchwuchert von einem Netz aus Spitzeln und Schergen, das sich um die verbliebenen jüdischen Bürger immer enger zusammenzieht. Seit Herbst 1941 fahren die Deportationszüge gen Osten ab. An eine Ausreise ist nicht mehr zu denken. Spätestens mit der sogenannten Fabrikaktion im Februar 1943, der Massenverhaftung aller noch in Berlin Zwangsarbeit verrichtender Juden, ist klar: Wer es bis jetzt nicht hinaus geschafft hat, der sitzt in der tödlichen Falle.

Sich der Verhaftung zu entziehen und in der Stadt zu überleben, das scheint ein Ding der Unmöglichkeit zu sein. Doch weil es in einer verzweifelten Situation die einzige, letzte Hoffnung ist, versuchen es trotzdem viele. Ein Leben in der Illegalität ist ein hochriskantes und gefährliches Unterfangen. Diejenigen, die die Flucht nach vorn antreten und versuchen, in der Öffentlichkeit unsichtbar zu werden, sind oft gerade ganz junge Menschen. Sie können der Kälte, dem Hunger, der Ungewissheit, der Angst und allen anderen Widrigkeiten am ehesten standhalten, sich vor den Feinden schützen. Dazu gehören nicht nur die aktiven Nazischergen, sondern auch die führerblinde „Volksgemeinschaft", die von ihrem Leid nichts wissen will, die Scheuklappen aufsetzt oder mit Freude kollaboriert. Doch dies trifft nicht auf alle Berliner Bürger zu. Ohne die beachtliche Gruppe an Menschen, die sich das Mitgefühl in dieser kalten Zeit nicht wollten austreiben lassen, wäre das Überleben der Untergetauchten nicht möglich gewesen. Etwa 1700 bis 2000 Juden, so die Schätzung, gelingt es, sich bis zum Kriegsende in der Hauptstadt durchzuschlagen.

Der Film „Die Untergetauchten – wir wollen Leben" berichtet von vier überlebenden jungen Berlinern, denen es gelungen war, sich den

S. 6 oben: Ruth Gumpel *links:* Eugen Herman-Friede mit seinem Darsteller Aaron Altaras *Mitte:* Cioma Schönhaus *unten:* Hanni Lévy mit ihrer Darstellerin Alice Dwyer

Deportationen zu entziehen und dem Naziterror zu entgehen. Wir trafen sie im Jahr 2009, und sie erzählten uns ihre Geschichten, von denen die Öffentlichkeit zum Teil nach einem halben Jahrhundert das erste Mal erfuhr. Eng verzahnt mit den Erinnerungen der Zeitzeugen entwickelten wir einen dokumentarisch durchdrungenen Spielfilm auf der Basis ihrer Schilderungen, verdichteten wir diese vier Geschichten vom Untertauchen, vom Widerstand gegen die Nazis und deren Deportationen zu einem emotionalen und spannenden Film, der uns die einzelnen Schicksale dieser vier mutigen jungen Menschen nahebringt.

Ruth Arndt, eine 20-jährige Kinderkrankenschwester, taucht gemeinsam mit ihrer Familie unter, ihren Eltern, ihrem Bruder Jochen, seiner Freundin Ellen und deren Mutter sowie seinem Freund Bruno, den Ruth später heiraten wird. Mithilfe von Nachbarn und ehemaligen Patienten von Ruths Vater, einem Arzt, ziehen sie von Versteck zu Versteck.

Hannelore Weissenberg, genannt Hanni, ist dagegen ein 17-jähriges Waisenmädchen und ganz allein. Als die Gestapo in ihr Haus einfällt und auch gegen ihre Wohnungstür hämmert, verhält sie sich mucksmäuschenstill und rettet sich später auf die Straße.

Der 20-jährige Cioma Schönhaus ist eigentlich Grafiker, muss aber in einer Maschinengewehrfabrik Zwangsarbeit leisten. Nach der Deportation seiner Eltern geht er in die Illegalität, gerät über Umwege in Kontakt mit der Bekennenden Kirche und fälscht fortan in deren Auftrag Pässe und andere Dokumente für andere jüdische Verfolgte.

Und da ist Eugen Friede, damals 16, der an verschiedenen Orten in Berlin zunächst untertaucht, bis ihn dessen nichtjüdischer Stiefvater Julius außerhalb der Hauptstadt, in Luckenwalde, unterbringt. Eugen wird Teil einer heute kaum bekannten Widerstandsgruppe, der „Gemeinschaft für Frieden und Aufbau".

Diesen vier jungen Menschen begegnen wir auch im vorliegenden Buch. Wir vertiefen ihre im Film gegebenen Erzählungen, erleben mit ihnen ihre Schrecken und Ängste, ihre Momente der Trostlosigkeit, aber auch die Kraft, die ihnen ihr Überlebenswillen in dieser finsteren Zeit verliehen hat.

Ergänzt werden ihre Geschichten durch die Erinnerungen weiterer Zeitzeugen, Hintergrundinformationen sowie zeitgeschichtliche Dokumente und Fotografien, die die Lebensgeschichten einbetten in den historischen Kontext und somit über den Film hinausführen.

Während unserer langen Projektierungs- und Vorbereitungszeit wurde uns klar, dass wir nicht nur einen historischen Stoff gefunden hatten, der im Film und auch in der Literatur bisher kaum behandelt worden ist, sondern auch eine Geschichte von gegenwärtiger Bedeutung. Im Zuge der großen Fluchtbewegungen nach Europa wurde die Frage nach der Mitmenschlichkeit ein weiteres Mal zu einer ganz aktuellen und entscheidenden. So ist aus unserem historischen Projekt ein Film geworden, der nicht nur der Erinnerungskultur ein Kapitel hinzufügt, sondern der auch ein Plädoyer ist für Zivilcourage und die Notwendigkeit, Verantwortung zu übernehmen und denen, die Verfolgung und Krieg ausgesetzt sind, die Tür zu öffnen.

Berlin im Juli 2017
Claus Räfle & Alejandra López
Drehbuchautoren „Die Unsichtbaren"

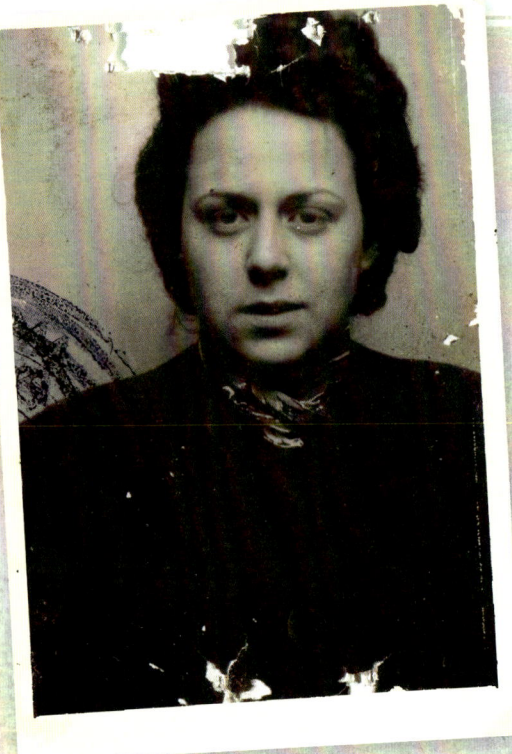

Die vorliegenden Texte beruhen auf Interviews, die Claus Räfle und Alejandra López mit vier von 1942 bis 1945 in Berlin untergetauchten Juden führten: Ruth Gumpel, Hanni Lévy, Cioma Schönhaus und Eugen Herman-Friede. Ergänzt wurden sie durch Erzählungen weiterer Überlebender, die jedoch in das gemeinsam von beiden Autoren geschriebene Drehbuch für den Film „Die Unsichtbaren" nicht einfließen konnten. In ihren spannenden Geschichten über die Zeit ihrer Illegalität in Berlin aber vermitteln sie zusätzliche Informationen, die helfen zu verstehen, wie es möglich war, dass sich damals immerhin ein paar Tausend jüdische Berliner, zumeist ganz junge Menschen, ihrer Deportation in die Todeslager im Osten entziehen konnten.

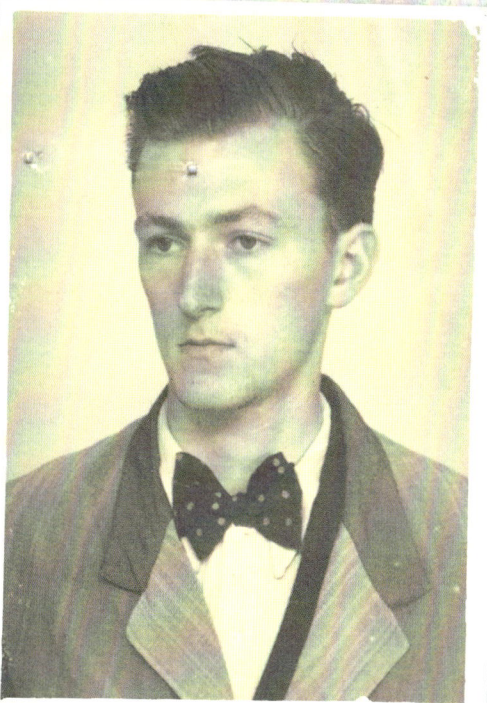

S. 10 oben: Ruth Arndt, verheiratete Gumpel, geboren am 16. Mai 1922 in Berlin, gestorben am 20. Mai 2012 in der Nähe von San Francisco, USA

links oben: Eugen Herman-Friede, geboren am 23. April 1926 in Berlin, lebt heute in Kronberg im Taunus

rechts oben: Hanni Weissenberg, verheiratete Lévy, geboren am 16. März 1924 in Berlin, lebt seit 1946 in Paris

links unten: Samson Schönhaus, genannt Cioma, geboren am 28. September 1922 in Berlin, gestorben am 22. September 2015 in Biel-Benken bei Basel, Schweiz

KAPITEL 1

WIR WOLLEN LEBEN

JÜDISCHE BERLINER ZWISCHEN KRIEGSBEGINN UND FABRIKAKTION

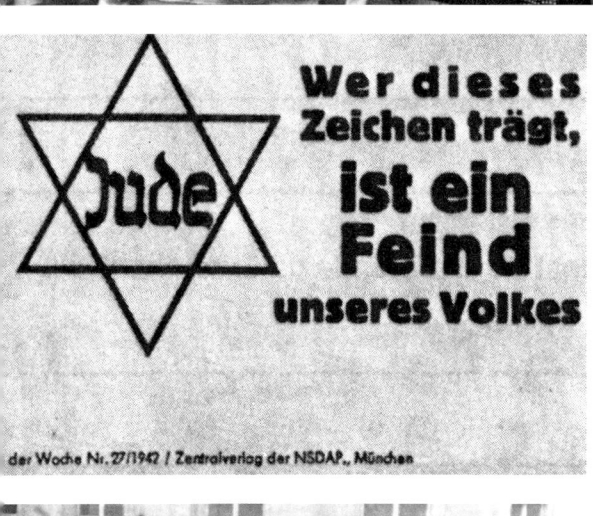

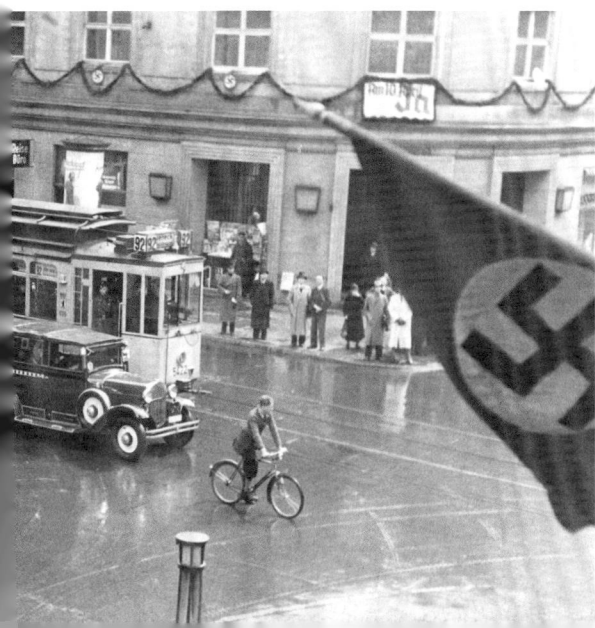

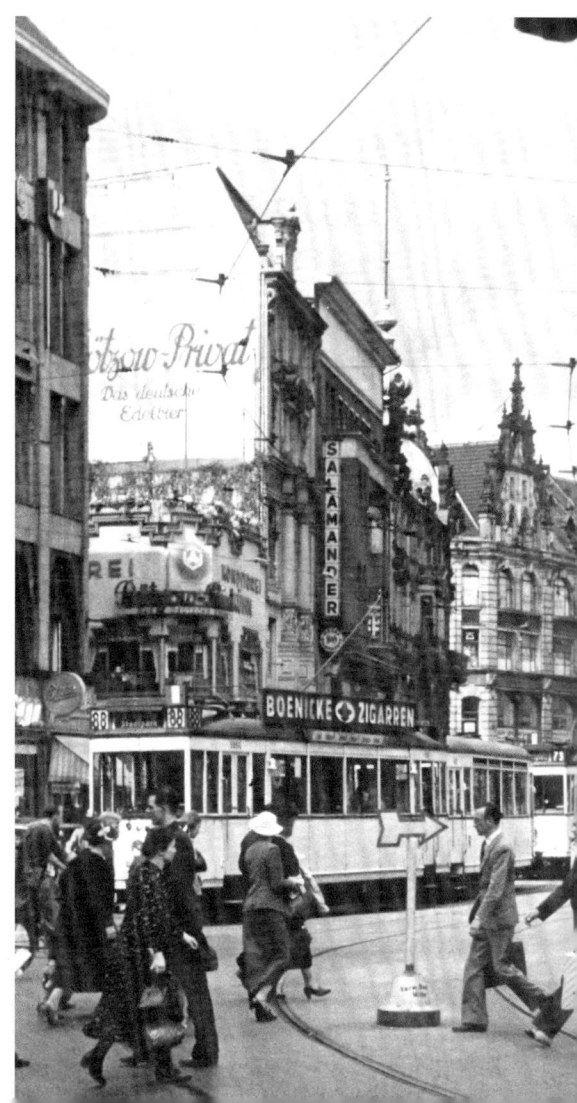

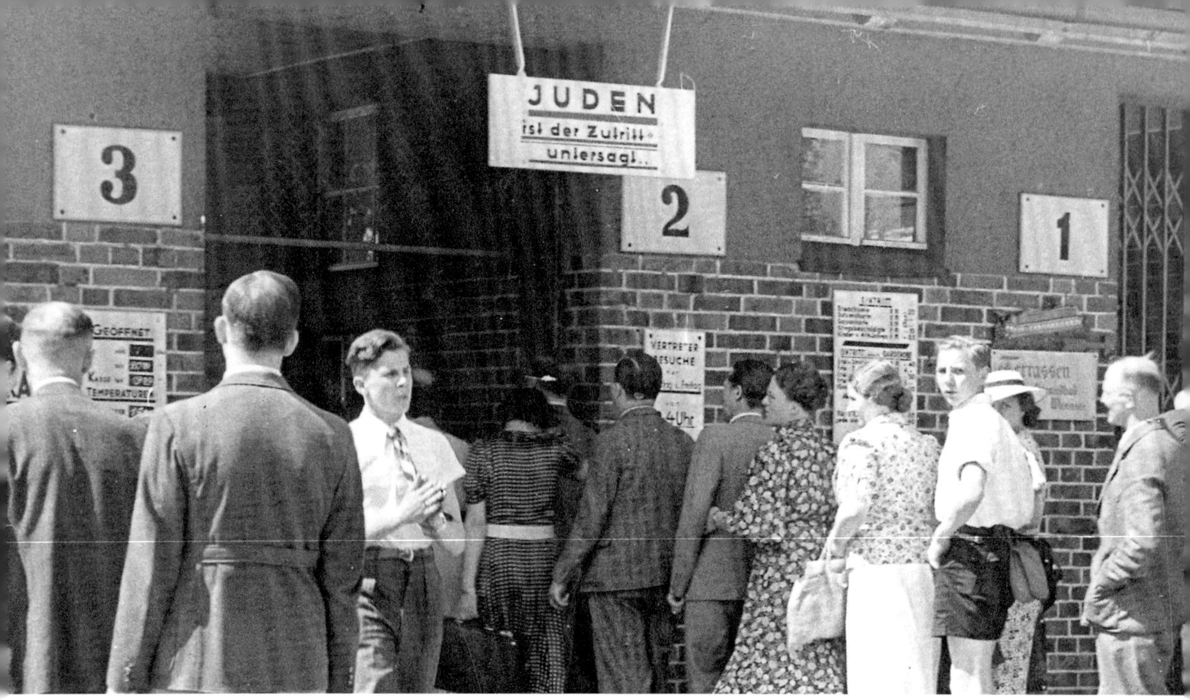
JUDEN
ist der Zutritt
untersagt
3
2
1

Jude
Wer dieses Zeichen trägt, ist ein Feind unseres Volkes
der Woche Nr. 27/1942 / Zentralverlag der NSDAP., München

SALAMANDER
BOENICKE ZIGARREN

Sie war durch die halbe Stadt gefahren. Mit der U-Bahn und dabei umgestiegen. Die Fahrt ging von Kreuzberg am Kottbusser Tor bis in die Eberswalder Straße im Prenzlauer Berg. Um nicht aufzufallen, hatte sie sich ihre Handtasche vor die Brust gehalten. Damit die anderen Mitfahrenden den gelben Stern nicht sahen, der ihr verbot, öffentliche Verkehrsmittel zu benutzen. Die letzten Meter war sie gelaufen, hatte sich vorsichtig umgeschaut, bevor sie das Treppenhaus betrat, wie sie es immer machte. Oben wartete die 20-Jährige, nachdem sie leise geklopft hatte, bis endlich jemand öffnete. Als sie im Flur ihren Mantel an die Garderobe über die anderen Wintersachen dort warf, drang bereits gedämpfte Musik aus dem Wohnzimmer heraus. Ein dunkelblonder jungen Mann, Bruno Gumpel – der Gastgeber –, führte Ruth Arndt hinein. Im Wohnzimmer tanzte ein Dutzend Gleichaltriger. Alles junge Leute Anfang 20, die sich ihre Schuhe ausgezogen hatten und auf Socken wippten, um möglichst leise zu sein. Damit die übrigen Bewohner des Hauses nicht mitbekamen, dass sie sich hier Sonntagnachmittag vergnügten. So erinnert sich Ruth Arndt Gumpel viele Jahrzehnte später: „Ein Teil unserer Jugend war uns ja geraubt worden, Tanzunterricht hatten wir alle nicht nehmen können, und so trafen wir uns heimlich mal bei dem einen oder anderen aus unserer Clique", erzählt die alte Dame und freut sich bei dem Gedanken, dass sie und ihre Freunde sich damals von den Nazis nicht alles verbieten ließen. So hatten sie sich auch amerikanische Schallplatten besorgt. Was ebenfalls unter Strafe stand. Ihre ganze Welt bestand aus Verboten: Man durfte kein Radio besitzen, keinen Führerschein machen, nicht ins Schwimmbad gehen, nach 20 Uhr nur auf der Straße sein, um zu einer der elenden Zwangsarbeiten zu kommen. Selbst Haustiere zu besitzen, war ihnen nicht erlaubt. Hunde und Katzen mussten nach der Verordnung des Referats IV des Reichssicherheitshauptamtes – Juden und Räumungsangelegenheiten – in Tierheimen abgegeben werden. Wie perfide musste das Denken eines Beamten sein, der sich derart niederträchtige Vorschriften einfallen ließ, um das Leben der ins gesellschaftliche Abseits Gedrängten noch qualvoller zu machen.

S. 12: Cioma
S. 14: Berlin 1938, oben der Eingang zum Strandbad Wannsee

„Ein Teil unserer Jugend war uns ja geraubt worden, Tanzunterricht hatten wir alle nicht nehmen können, und so trafen wir uns heimlich mal bei dem einen oder anderen aus unserer Clique"

Anfang der 40er-Jahre – zwischen dem Beginn des Zweiten Weltkriegs am 1. September 1939 und dem Überfall Nazideutschlands auf die Sowjetunion am 20. Juni 1941– spitzte sich die Lage der Juden in Deutschland zu. In den ersten beiden Kriegsjahren änderte das Naziregime seine Politik gegenüber den Juden. Hatte die nationalsozialistische Führung bis dahin das Ziel, sie durch Entrechtung und Ausgrenzung zur Emigration zu zwingen, plante sie nun deren Beseitigung aus dem gesamten europäischen Herrschaftsgebiet des NS-Staates. Das hieß, sie planten die Vernichtung aller europäischen Juden. Sich der Monstrosität dieses Vorhabens durchaus bewusst, vermied das Krieg führende, rassistische Regime Bezeichnungen wie Mord, benutzte stattdessen Begriffe, die das wahre Ausmaß des Genozids verschleierten. Auch dann noch, als die NS-Bürokratie am 20. Januar 1942 auf der sogenannten Wannsee-Konferenz den Holocaust organisierte.

Ab dem 19. September 1941 wurden alle Juden gezwungen, auf ihrer Kleidung einen gelben Stern deutlich sichtbar auf der linken Brustseite in Herzhöhe angenäht zu tragen.

Kurz danach, ab dem Oktober 1941, begannen die ersten Deportationen jüdischer Deutscher in den Osten. Unter den Zurückgebliebenen kursierten Gerüchte, dass sie dort ermordet würden. Viele aber weigerten sich, diesen zu glauben, so etwas schien ihnen einfach unmöglich in einer Kulturnation wie der deutschen. Zudem klammerten sich die meisten jüdischen Deutschen an die Hoffnung, dass sie als Zwangsarbeiter in kriegswichtigen Betrieben gebraucht würden.

Es war ein gutes Jahr später, im November 1942, als sich Ruth und ihre Freunde trafen, zu verbotener Jazzmusik tanzten, zu Benny Goodman und Duke Ellington. Sie machten das, was alle jungen Leute in ihrem Alter wollen: sich vergnügen, tanzen und lachen und vielleicht ein bisschen flirten. Sie wollten sich nicht unterkriegen lassen, wollten leben. Doch war ihnen auch bewusst, wie gefährlich ihre Lage war. Ruths Bruder Erich Jochum, von allen Jochen genannt, hatte bei der Zwangsarbeit gehört, dass einige seiner jüdischen Kollegen planten unterzutauchen. „Flitzen" nannten sie das. Nicht mehr zur Arbeit zu erscheinen und sich in der Illegalität irgendwie durchbringen. Ein gewagter Entschluss, vor allem in dem von Gestapo, Polizei und Denunzianten dicht gewobenen Überwachungsnetz. Doch Gerüchte machten die Runde, was mit denen geschehe, die sich evakuieren ließen – wie dies im Amtsdeutsch verbrämt genannt wurde –, Spekulationen darüber, was denen widerfahre, die ihre Listen bekommen hatten. In diese Listen mussten sie alle Gegenstände ihres Hausstands und ihr Vermögen akribisch aufführen, bevor sie sich in der Sammelstelle Levetzowstraße einzufinden hatten. Sie befand sich dort in der Synagoge, einem Gotteshaus, das mehr als 2000 Gläubigen Platz bot, und das die Gestapo für ihre Zwecke entweiht hatte. Man raunte sich zu, dass man von denen, die in den Osten gebracht worden waren, nie mehr etwas gehört hatte. Nichts – keine Zeile kam aus dem Ort im Osten zurück, dessen Namen nur Schrecken unter den jüdischen Deutschen auslöste: Auschwitz … Die Aufforderung zur Deportation erhielten zunächst ältere jüdische Berliner, solche, die zur Arbeit nicht mehr herangezogen werden konnten. Warum sollten gerade sie in irgendwelche Lager im deutsch besetzten Polen evakuiert werden? Gerüchte, nach denen es unter polnischen Juden, die in Gettos zusammengetrieben wurden, Erschießungen gegeben hatte, steigerten das Grauen.

> **Man raunte sich zu, dass man von denen, die in den Osten gebracht worden waren, nie mehr etwas gehört hatte. Nichts – keine Zeile kam aus dem Ort im Osten zurück, dessen Namen nur Schrecken unter den jüdischen Deutschen auslöste: Auschwitz …**

Ruth und ihr Bruder Joachim bedrängten ihren Vater, den Arzt Dr. Arthur Arndt, er solle mit ihnen und ihrer Mutter untertauchen. Doch der lehnte dies energisch ab. Er konnte sich nicht vorstellen, wie dies gehen sollte, so erinnert sich Ruth Gumpel. Wie sollte eine vierköpfige Familie im Untergrund, ständig ihre Verstecke wechselnd, ohne Lebensmittelmarken und auf die Hilfe anderer angewiesen, überleben können? Für den Familienvater war es undenkbar, dass er nun, nachdem er bereits in einer engen, unkomfortablen Umsetzwohnung leben musste, alle Reste seiner bürgerlichen Existenz aufgeben und ohne eigene Bleibe existieren könnte. Zudem fürchtete der einst in Kreuzberg beliebte und angesehene Arzt, dass ihn schon nach den ersten fünf Minuten auf der Straße jemand erkennen und vielleicht denunzieren würde. Doch seine beiden Kinder, Ruth und Jochen, ließen nicht locker, blieben beharrlich: So überzeugten sie Dr. Arndt davon, sich auf ein Gespräch mit einer ehemaligen Patientin, Anni Gehre, einzulassen. Sie wollte ihnen einen Plan unterbreiten, wie es gelingen könnte, sie alle zu verstecken. Anni Gehre war eine einfache, warmherzige Person, die nicht vergessen hatte, dass Dr. Arndt ihrer kleinen Tochter einst das Leben gerettet hatte, als sie an Diphterie erkrankt war. Sichtlich betroffen von den armseligen Umständen, in denen der von ihr so verehrte Arzt mit seiner Familie nun leben musste, nahm sie am Tisch der beengten Wohnküche Platz, im Hintergrund zusammengestückeltes Mobiliar, klägliche Reste aus einer besseren Zeit der Arndts, als die Familie noch in einer geräumigen Siebenzimmerwohnung mit Dienstmädchen zu Hause war.

Vor der amerikanischen Botschaft bildeten sich bereits morgens um sechs Uhr hunderte Meter lange Schlangen jüdischer Antragsteller, die einen Termin hatten und auf eine Einwanderungserlaubnis hofften.

Niemand von ihnen hatte noch kurz nach Beginn des Krieges daran geglaubt, dass man ihnen schon bald das Existenzrecht absprechen würde. So wie den meisten der 270.000 jüdischen Berliner, die etwas mehr als die Hälfte der gesamten jüdischen Bevölkerung Deutschlands ausmachten. Von ihnen lebten zu Kriegsbeginn noch 160.000 in Berlin. Immerhin ein knappes Drittel hatte es bis dahin geschafft, seit 1933 das Land zu verlassen. Seit der sogenannten Reichskristallnacht, dem staatlich initiierten Pogrom am 9. November 1938, der die jüdische Bevölkerung in Angst und Schrecken versetzen sollte und den Auftakt ihrer physischen Vernichtung einleitete, begannen sich die Türen der bis dahin von den Nazis forcierten Emigration zu schließen. Auch immer weniger Einreisevisa wurden von den anderen Staaten an die immer mehr werdenden Juden vergeben, die Deutschland verlassen wollten. Immer verzweifelter wurde die Lage derjenigen, die versuchten, irgendwie herauszukommen. Vor der amerikanischen Botschaft bildeten sich bereits morgens um sechs Uhr hunderte Meter lange Schlangen jüdischer Antragsteller, die einen Termin hatten und auf eine Einwanderungserlaubnis hofften. Doch die US-Regierung hatte eine Obergrenze von insgesamt 27.000 Visa pro Jahr verfügt – eine Zahl, die schon von Antragstellern aus Deutschland um ein Vielfaches überschritten wurde. Allein auf der Warteliste des Konsulats der USA in Berlin standen 248.000 Namen. Zudem hatte nur der eine Chance, der ein sogenanntes Affidavit – Bürgschaft eines bereits in den USA legalisierten Bürgers – vorweisen konnte, was das Bemühen für die Allermeisten aussichtslos werden ließ. Mit Beginn des Krieges gegen Frankreich, Belgien, Holland und England im Frühjahr 1940 zog sich die Schlinge weiter zu. Nachdem selbst Argentinien, ein klassisches Einwanderungsland, das die Erlaubnis zum Kommen in seiner Verfassung verankert hatte, seine Grenzen schloss und sogar einen vollbesetzten Passagierdampfer mit Flüchtlingen aus Deutschland vor dem Hafen von Buenos Aires abwies, versuchten einige diplomatische Beamte daraus auch noch Kapital zu schlagen. Angestellte des argentinischen Konsulats in Hamburg begannen, Visa gegen Bestechung zu verkaufen. Für 5000 Reichsmark, was heutigen 50.000 Euro entspricht, konnte man einen der begehrten Stempel im Reisepass erwerben. Aber die die Allerwenigsten verfügten noch über ein Vermögen, versuchten verzweifelt, ihn vielleicht auf anderen Wegen zu erlangen. So berichtete der argentinische Amtsträger in Paris von einer jungen und außergewöhnlich hübschen Jüdin, die sich ihm in seinem Amtsraum in ihrer aussichtslosen Situation persönlich anbot, um so an eines der begehrten Dokumente zu kommen. Die meisten der jüdischen Deutschen scheuten jedoch ungesetzliche Mittel. Groß war die Furcht, dafür zur Rechenschaft gezogen zu werden. So lebten die in Deutschland festsitzenden Juden in einer seltsam unwirklichen Übergangszeit.

Eine Stimmung aus nervöser Gereiztheit, Unglaube und Fatalismus breitete sich unter der jüdischen Bevölkerung aus. Die nächtliche Verdunklung, angeordnet seit dem Überfall auf Polen, obwohl noch kein feindliches Flugzeug die Hauptstadt angeflogen hatte, verstärkte ein Gefühl der Angst unter den Ausgestoßenen. Die Finsternis verwandelte die Häuserwände in eine bedrohliche Kulisse, Menschen hasteten durch die Stadt, nur wenige Fahrzeuge, für die es eine Benzinzuteilung gab, suchen sich ihren Weg durch die undurchdringliche Finsternis.

Die seit 1946 in Paris lebende Hanni Lévy erinnert sich an diese Zeit. Daran, wie sie sich als 17-Jährige gefühlt hatte, wenn sie das Haus verließ, um in den ein oder zwei Stunden, in denen es Juden erlaubt war auf ihre mit einem großen „J" versehenen Lebensmittelmarken einzukaufen, irgendetwas Essbares zu bekommen: „Man hatte Angst, nach vorn zu schauen. Man fühlte sich immer geduckt, man dachte immer: bloß nicht auffallen." Hanni Lévy lebte im November 1942 bei einer befreundeten jüdischen Familie ihrer bereits verstorbenen Eltern. Ihre Mutter verlor sie wenige Monate zuvor, im April 1942, an einer nicht behandelten Lungenentzündung, ihr Vater war den Strapazen der Zwangsarbeit erlegen. Hanni wurde in Tempelhof, ganz in der Nähe des damaligen Flughafens geboren. Ihr Vater gehörte zu einer populären Flugstaffel, die in den Luftschlachten des Ersten Weltkriegs unter dem „Roten Baron", Manfred von Richthofen, Berühmtheit erlangte. Nachdem Richthofen und auch dessen Nachfolger gefallen waren, hatte ein Flieger das Kommando übernommen, der später unter Hitler Karriere machte: Hermann Göring, jener Mann, der als Reichsfeldmarschall die Nummer zwei hinter Hitler war und an der Spitze des nationalsozialistischen Reichsluftfahrtministeriums stand. Hannis Vater war Fotograf in dieser Einheit. Als er sich mit der Bitte um Hilfe brieflich an Göring wandte, dachte dieser allerdings überhaupt nicht daran, seinem einstigen Kameraden zur Seite zu stehen.

„Man hatte Angst, nach vorn zu schauen. Man fühlte sich immer geduckt, man dachte immer: bloß nicht auffallen."

Hannis Eltern sind auf dem jüdischen Friedhof in Weißensee begraben. Sie mussten nicht mehr miterleben, wie die Deportationen begannen. Ihre Tochter blieb davon wie die meisten ihrer Generation zunächst verschont, denn man brauchte die Arbeitskraft der Jüngeren in kriegswichtigen Betrieben. Hanni kam in eine Zehlendorfer Fabrik, in der Seide zu Fallschirmen für die Luftwaffe verarbeitet wurde. Von ihren Kollegen dort hörte die 17-Jährige über Lager im Osten. Auch wenn sie keine Vorstellung davon hatte, welches Grauen den Deportierten dort drohte, flößte es doch Angst ein zu sehen, wie Menschen abgeholt und mit dem Zug aus Berlin weggebracht wurden. Auch ihre Großmutter, die letzte Verwandte, musste diese Fahrt im Oktober 1942 antreten. So war

Hanni froh, bei den Bekannten ihrer Mutter aufgenommen worden zu
sein. Die ständige Furcht vor einer drohenden Evakuierung in den Osten
brannte sich bei der 17-Jährigen dennoch ein. Eine ihrer Klassenkame-
radinnen, Lieselotte, genannt Lilo, schrieb ihr einen Abschiedsbrief, den
Frau Lévy bis heute aufbewahrt hat. Darin bedauerte die Gleichaltrige,
dass sie sich nicht mehr von Hanni verabschieden konnte:

„… abends, als ich von Dir nach Hause kam, waren die Listen
schon da. Du kannst Dir nicht vorstellen, wie mir zumute ist. Du bist
der einzige Mensch, der es nachfühlen kann, sich von einem Menschen,
den man sehr, sehr lieb hat, plötzlich zu trennen. Was nützen all die
schönen und aufmunternden Worte wie Kopf hoch und mutig, wenn
sich auf einmal alles hinter einem schließt? Was nutzt die Hoffnung an
eine bessere Zukunft, wenn man weiß, welchem Schicksal man entge-
gensieht? Verzweifeln darf man zwar nicht, man kann keinem damit
helfen. Also liebe Hanni, wenn wir uns nicht mehr wiedersehen sollten,
so denk mal an mich und erinnere Dich eines Mädels, die das gleiche Los
wie Du trägt. Du bist ein lieber und hilfsbereiter Kerl und ich wünsche
Dir alles Gute und sehr viel Glück für die Zukunft …“

Hanni lebte in einem der sogenannten „Judenhäuser" mit Umsetz-
wohnungen in der Augsburger Straße, nur ein paar Meter hinter der
Tauentzienstraße unweit vom KaDeWe. Hier und in den Nachbarhäu-
sern fristeten Dutzende jüdische Familien ihr Dasein, die ihre alten
Wohnungen verlassen mussten. Allein rund um den Olivaer Platz am
Kurfürstendamm waren sämtliche jüdischen Einwohner aus ihren
gutbürgerlichen Wohnungen vertrieben worden, da diese von mittleren
NS-Würdenträgern beansprucht wurden. Die Umquartierten mussten
sich mit zwei oder drei Familien 60 Quadratmeter große Wohnungen
teilen. Menschen, die sich zuvor nicht kannten, lebten nun auf engstem
Raum, mussten zusammen Küche und Bad benutzen. Oft herrschten
unerträgliche Spannungen unter diesen erzwungenen, demütigenden
Bedingungen.

Verboten war den Juden das Kaufen von Milch und Eiern ebenso
wie der Erwerb von Fleisch und Fett oder Kaffee und Schokolade. Im
Kriegswinter 1940 wurde ihnen sogar befohlen, ihre Pelze und
Winterkleidung aus Wolle bei den Behörden abzugeben.

Hanni versuchte, all diese unerträglichen Umstände auszublenden, hoffte weiter in Zwölfstundenschichten als Zwangsarbeiterin Fallschirme nähen zu dürfen. Sie war froh, ein Dach überm Kopf zu haben, mit den Lebensmittelmarken Kartoffeln und anderes Wurzelgemüse zugeteilt zu bekommen. Sie nahm hin, dass ihr alles, was irgendwie wertvolle Nahrung verheißen könnte, verwehrt war. Verboten war den Juden das Kaufen von Milch und Eiern ebenso wie der Erwerb von Fleisch und Fett oder Kaffee und Schokolade. Im Kriegswinter 1940 wurde ihnen sogar befohlen, ihre Pelze und Winterkleidung aus Wolle bei den Behörden abzugeben. Eine mehr als sadistische Verfügung, brach doch der erste Kriegswinter mit einer großen Kälte über die Menschen herein. Der amerikanische Korrespondent William Shirer erinnerte sich: „Ab Januar 40 wird es eisig. Tagsüber herrschen Temperaturen von minus 15 Grad. Sämtliche Flüsse und Kanäle sind zugefroren. Der Kohletransport liegt brach. Die meisten Berliner und die Deutschen frieren bitterlich. Den Deutschen wird schlagartig bewusst, dass sie nun im Krieg sind, den die meisten von ihnen auch nach dem Ausbruch nicht bejubelt haben. Die Menschen sitzen in ihren Wohnungen mit mehreren Schichten von Pullovern und Mänteln. Die Temperaturen betragen um die sieben Grad. Kirchen dürfen nicht beheizt werden."

Nachdem man den Juden fast alles genommen hatte, glaubten die meisten unter ihnen nicht daran, dass ihnen noch Schlimmeres, Unfassbareres zugefügt werden könnte. Sie hofften auf eine irgendwie geartete Veränderung der Verhältnisse und ein Ende ihres rechtlosen Daseins. Nur wenige ahnten, dass sie in der Falle saßen. Auch im sogenannten Scheunenviertel, wo sich viele nach der Jahrhundertwende vor den Pogromen in Russland und der Ukraine nach Deutschland geflüchtete Juden niedergelassen hatten, fügte man sich irgendwie dem Schicksal. In der Gegend zwischen Alexanderplatz und Hackeschen Markt lebten die als Ostjuden bezeichneten armen Juden der Hauptstadt. Hier waren die Bürgersteige schmaler, die Häuser weniger stattlich, hatten nur zwei oder drei Stockwerke, dafür gab es umso mehr Kinder, die in den Hinterhöfen zwischen Teppichstangen und Mülltonnen spielten. Hier existierten rauchverhangene Bierkneipen im Souterrain und Hinterzimmer, in denen dem Glücksspiel und der Prostitution nachgegangen wurde. Rund um die Mulackstraße, eine der düstersten Gassen der Millionenmetropole, florierte das Rotlichtgewerbe. Die zwischen Münz- und Gormannstraße aufwachsenden Jugendlichen kannten sich aus auf der Straße.

S. 23: Im Sammellager Levetzowstraße, Cioma und seine Eltern

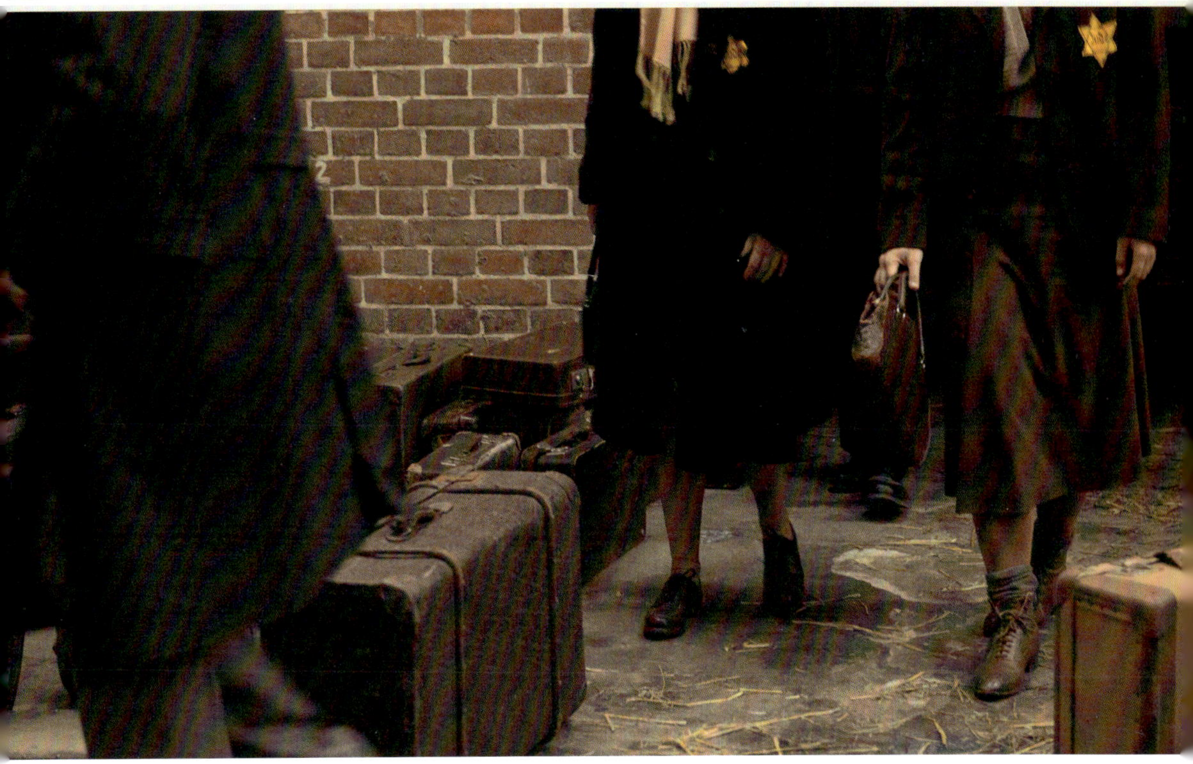

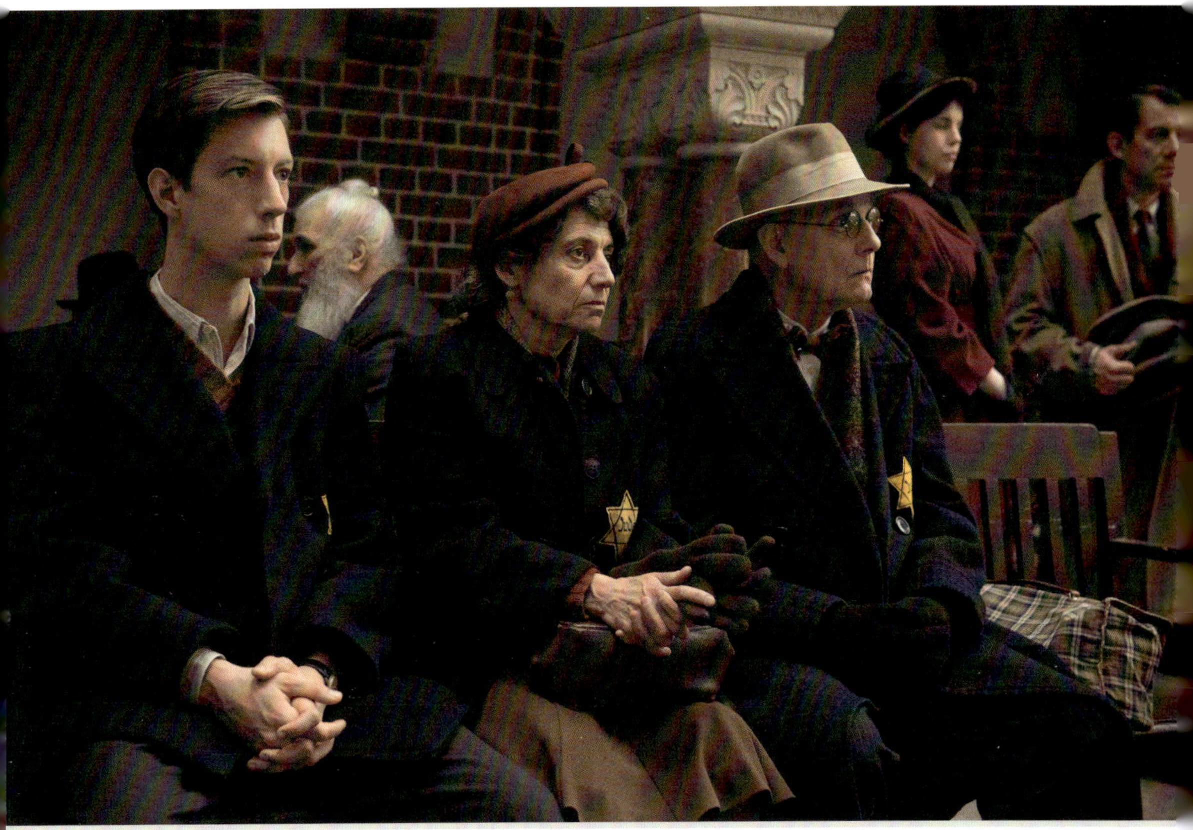

Hier, in der Sophienstraße, wuchs auch der von seiner Mutter Fanja zärtlich Cioma genannte Samson Schönhaus auf. 1922 geboren, war er das einzige Kind der Familie, die kurz nach Ende des Ersten Weltkriegs aus der Gegend um Minsk eingewandert war, und die es im Scheunenviertel zu bescheidenem Auskommen gebracht hatte. Vater Boris Schönhaus füllte Wasser mit Kohlensäure in Siphons ab und belieferte mit seinen Flaschen Nachbarschaft und umliegende Gastronomie. 1942 war Cioma gerade 20 Jahre jung, als seine Familie ihre Listen zugestellt bekam. Als er sie zufällig entdeckte, wollte er von seiner Mutter wissen, was es damit auf sich hat. Sie versuchte ihm zu erklären, dass alles seine Ordnung habe. Dass sie zusammen in eines der Lager in den Osten gehen, dort zwar hart arbeiten müssten, aber dann sicher zurückkommen würden. Die Mutter wollte der Deportationsaufforderung nachkommen, keinen Ärger mit der Polizei riskieren, begriff aber, dass ihr Sohn bleiben wollte. Ihr Mann Boris war bereits mit der Polizei in Konflikt geraten, als er dabei erwischt wurde, Butter für die Familie zu beschaffen. Er hatte dafür ein Jahr Gefängnis erhalten, und nun erwartete seine Frau, dass er zur Evakuierung in den Osten entlassen würde und die Familie unter diesen Umständen wieder zusammenkäme. Doch es gab noch etwas, was für Spannungen zwischen Mutter und Sohn sorgte: Eines Tages erwischte sie ihren Sohn, wie er versuchte, seine Kennkarte – Bezeichnung eines doppelseitigen, auffaltbaren Personalausweises – zu manipulieren. Cioma hatte begonnen, das verräterische „J" für „Jude" aus dem Dokument herauszuschaben. Seit 1938 dieser polizeiliche Inlandsausweis eingeführt worden war, erhielten Juden ihn mit einem eingestempelten großen „J". Zudem wurden Männern der stigmatisierende Zusatzname Israel und Frauen Sarah verordnet, der in allen jüdischen Dokumenten eingetragen war. Cioma wollte eine solche Stigmatisierung nicht hinnehmen, ein unverdächtiges Ausweisdokument griffbereit bei sich tragen. Für die Mutter eine höchst gefährliche Sache – das Fälschen eines staatlichen Papieres hätte eine sofortige Verhaftung des Jungen nach sich gezogen. Zur Lösung des Problems schlug Fanja vor, den Verlust des beschädigten Dokuments bei der Polizei anzuzeigen. Cioma begriff blitzschnell, dass dies für ihn eine Chance bedeutete, sagte: „Ja, so können wir es machen! Aber den hier, den behalte ich." So erinnert sich Cioma Schönhaus sieben Jahrzehnte später im Interview. Er nahm seiner Mutter die halbfertige Kennkarte ab und vollendete sein illegales Werk. „Ich wollte leben, ich wollte noch nicht Schluss machen."

Sie versuchte ihm zu erklären, dass alles seine Ordnung habe. Dass sie zusammen in eines der Lager in den Osten gehen, dort zwar hart arbeiten müssten, aber dann sicher zurückkommen würden.

Es war das Dilemma, das Tausende von Familien zu zerreißen drohte: Er wollte nicht in eines der Lager im Osten deportiert werden. Doch konnte er deshalb seine Eltern verlassen? Wenn der 20-Jährige mit ihnen ginge, könnte er ihnen dort vielleicht unverzichtbare Hilfe leisten. Vielleicht könnte er ihnen aber auch von Berlin aus helfen, ihnen Pakete schicken, alles vorbereiten, wenn sie nach dem Krieg, der nicht ewig dauern würde, zurückkehrten. Diese Gedanken arbeiteten in seinem Kopf. Zudem hoffte Cioma, dass sich der Konflikt lösen könnte, weil er weiter in Berlin gebraucht würde. Er arbeitete bei der Metallverarbeitenden Fabrik Gustav Genschov, einem kleinen Betrieb in Treptow, der Maschinengewehrläufe für die Wehrmacht ausfräste. Cioma war einer der besten Arbeiter dort. Er schaffte 180 Läufe in der Stunde. Auf den Zehntelmillimeter genau ausgefräst, damit die automatischen Waffen präzise funktionierten. Menschen erschießen konnten. Es war eine furchtbare Absurdität, die dem innewohnte: Ein jüdischer Zwangsarbeiter hoffte, bei dieser Arbeit weiter unverzichtbar zu sein, damit er von der Deportation in ein im Osten auf ihn wartendes Vernichtungslager zurückgestellt würde! Doch meist verweigert das menschliche Gehirn, sich solch grausige Wirklichkeit zu vergegenwärtigen.

Eines Tages bekamen seine Eltern und auch er – Familien wurden fast immer zusammen deportiert – dann die ihre Aufforderung, sich in der Synagoge in der Levetzowstraße in Moabit einzufinden. Noch Jahrzehnte später erinnert Cioma Schönhaus, wie er im Sommer 1942 dort eintraf. Sich mit seinen Eltern auf eine Bank setzte und seine Blicke schweifen ließ. Kinder spielten zwischen den Koffern der Erwachsenen, die auf dem Boden oder den verbliebenen Kirchenbänken saßen. Alle in Winterkleidung mit Mänteln und schweren Schuhen und Mützen. Ruhig und gefasst. Weiter hinten waren zahlreiche Wintermäntel zu einem Berg übereinander geworfen – das Bild erinnerte Cioma an das Warten auf einen Skilift in den Bergen – im Sommer. Denn es war ein warmer Junitag 1942, draußen vor der Synagoge. „Die Stille wurde nur unterbrochen von einem Ausrufer, einem jüdischen Ordner, der die Namen derjenigen ausrief, die als nächstes an die verschiedenen

Amtstische zu treten hatten." Der Ordner rief so laut, dass Cioma sich an das Märchen der Bremer Stadtmusikanten erinnert fühlte. Er „reckte dabei seinen langen Hals nach vorne und brüllte die Namen der Nächsten: Martin Israel Cohen, Martin Israel Cohen... so laut, als wolle er damit signalisieren, dass er, wie der Hahn im Märchen, noch nicht reif für den Kochtopf sei."

Die in der Sammelstelle in der ehemaligen Synagoge zu ihrer Deportation Erschienenen mussten zunächst eine Art amtlichen Auscheck absolvieren. Im unteren Kirchenbereich, dort wo es einst den Altar gegeben hat, saßen hinter mehreren Tischen Beamte aus dem Finanz-, Ordnungs- und Arbeitsamt. Vor ihnen ihr bürokratisches Inventar ausgebreitet: Schnellhefter, Stifte, Stempel. Die Beamten überprüften den Status der Vermögensangaben in den Listen: Sparguthaben, Lebensversicherungen, Schmuck, Wertpapiere. Die zur Deportation Vorgesehenen wurden gezwungen, der Übereignung ihres noch verbliebenen Besitzes an den Staat zuzustimmen und auf noch offene Lohnzahlungen zu verzichten. Sie mussten die Abmeldung aus ihrer bisherigen Wohnung bestätigen, ihren Gas- und Stromanschluss abmelden. Allein diese vollständige persönliche Enteignung als Auftakt der sich anschließenden Deportation in ein Lager irgendwo im besetzten ehemaligen Polen oder dem Baltikum hat die Menschen in eine Art Schockstarre versetzt. Wem alles genommen wird, für den ist keine Rückkehr in sein altes Leben vorgesehen. Der bürokratische Rahmen der dies exekutierte, sollte neben der effizienten Ausplünderung perfiderweise vor allem dazu dienen, den Opfern vorzugaukeln, dass alles nach Recht und Ordnung geschehe.

Was mitgenommen werden durfte, war genau geregelt: Winterkleidung, Bettlaken, Kissen, Toilettenartikel, Ersatzschuhe, was man eben brauchen könnte in einem Zwangsarbeitslager. Trotz aller Widrigkeiten versuchte Cioma, sich das Kommende schönzureden, stellte sich einen Ort vor „mit sauberen Tannenholzbaracken und alles sehr ordentlich. Von dort gehen die jüdischen Arbeiter morgens früh zu ihrer Arbeit und kommen abends zurück. So war meine Vorstellung von dem Lager, als ich so dasaß mit meinen Eltern." Während er in der gespenstisch, unwirklichen Stimmung gefangen war, hörte er plötzlich seinen Namen durch die Synagoge hallen: „Cioma Israel Schönhaus! Cioma Israel Schönhaus!", schrie der jüdische Ausrufer – „Naja, da war ich dran." Vor einer abgestumpften Mitarbeiterin des Arbeitsamtes kam er, so schildert er es im Interview, wieder zu sich. Während neben ihm ein junges Mädchen, das allein in ein Lager geschickt werden sollte, vor Verzweiflung zu schreien begann und für ein paar Momente die kalte Routine der Bürokratie unterbrach, entsann sich Cioma darauf, dass er möglicherweise von seinem Arbeitgeber auf eine Liste gesetzt worden war, die ihn als besonders unverzichtbaren, kriegswichtigen Zwangs-arbeiter benannte. Die Frau vom Arbeitsamt blätterte daraufhin in einer entsprechenden Anforderungsliste, fand dort tatsächlich Ciomas Namen und ging zu ihrem Vorgesetzten, um sich zu vergewissern. Der Vorgesetzte, so schildert Cioma diese Momente, schaute dabei auf das von Ordnern weggezerrte Mädchen, fühlte sich durch das Geschrei gestört und schüttelte verständnislos seinen Kopf. Was Cioma als Ab-lehnung verstand. Umso größer die Überraschung, als die Mitarbeiterin wieder vor ihm Platz nahm, ihm ein „Zurückgestellt!" zurief und einen Stempel in seine Akte sausen ließ. Verunsichert fragte Cioma, was das hieße. „Sie können gehen!" Er verstand immer noch nicht, was dies bedeutete. Erst als sie ihm sagte, dass er nach Hause könne, begriff er, was gerade geschehen war.

Seine Eltern zerriss es fast vor Schmerz. Während sein Vater doch hoffte, dass der Sohn wenigstens von Berlin aus etwas für sie tun könne, war seine Mutter völlig verzweifelt. Cioma durfte sich nur kurz von ihnen verabschieden, jüdische Ordner drängten ihn hinaus, denn die anderen sollten nichts davon mitbekommen. Jede Unruhe sollte schon im Ansatz unterdrückt werden. Cioma konnte den Eltern gerade noch seine für die mehrtägige Zugreise in den Osten geschmierten Stullen überreichen, während seine überforderte Mutter eine bereits geschrie-bene Postkarte aus ihrer Handtasche fingerte. Es war ein Gruß an eine Freundin, von der sie sich in der Eile des Aufbruches nicht mehr verabschieden konnte. Sie bat Cioma, die Karte für sie einzuwerfen, musste dabei mit verweinten Augen lachen, machte sich Vorwürfe, wie blöd es von ihr war, dass sie es vergessen hatte. „Vergiss nicht, sie einzuwerfen", sind die letzten Worte, an die sich Cioma erinnert, bevor Ordner Mutter und Vater wegführten und ihn hinausschoben.

So stand er wieder draußen. Alleine in der Straße vor der Synagoge in seinem Wintermantel. Als das Klingeln einer haltenden Straßen-bahn ihn aus seinem Abschiedsschmerz riss, stieg er kurzentschlossen ein. Nach wenigen Minuten war die Fahrt jedoch wieder zu Ende. Ein Schaffner warf den jungen Mann, der in der Maschinengewehrfabrik weiter Läufe ausfräsen und drehen sollte, kurzerhand aus der Tram:

Juden durften sie nur mit Sondergenehmigung benutzen. Als er schwitzend den Fußweg im Wintermantel Richtung Berlin-Mitte zurücklegte, war ihm klar, dass er nicht noch einmal an diesen Ort zurückzukehren würde. Er fasste den Entschluss unterzutauchen, in Berlin zu bleiben: „Ich wollte leben, ich wollte noch nicht Schluss machen!"

Das Glück, im Besitz einer Sondergenehmigung zum Benutzen öffentlicher Verkehrsmittel zu sein, hatte der wenige Jahre jüngere Eugen Herman-Friede. Er war 1926 in Berlin geboren worden und der Sohn einer jüdischen Mutter, Anja Friede, in zweiter Ehe mit einem Christen, Julius Friede, verheiratet. Als einziger in der dreiköpfigen Familie musste Eugen den gelben Stern tragen, denn seine Mutter erfuhr durch die Heirat mit einem Arier aufgrund der Nürnberger Rassengesetze von 1935 gewisse Vorteile gegenüber anderen Juden; so durfte sie sich ohne Stern an der Kleidung in der Öffentlichkeit bewegen. Nicht so aber ihr Sohn Eugen. Der 16-Jährige versuchte soweit es ging, dies zu verdrängen. Da in seiner Schule, der Jüdischen Schule in der Großen Hamburger Straße, alle den gelben Stern vorschriftsmäßig auf Brusthöhe angenäht trugen, gehörte es – so demütigend es auch war – irgendwie dazu. Eugen, ein gut aussehender junger Mann, der sich zudem durch seinen Stiefvater geschützt fühlte, interessierte sich in dieser um ihn herum wenig hoffungsvollen Atmosphäre vor allem für eines: für hübsche Mädchen aus seiner Schule. Er hatte bereits eine Freundin, Helga. Die Gleichaltrige ging mit ihm in dieselbe Klasse, auch durfte sie ihn regelmäßig zu Hause besuchen. Hier sah die 15-Jährige wie anders eine Familie lebte, die nicht so streng im Visier der rassischen Unterdrückung stand: Friedes mussten weder ihr Radiogerät abgeben noch sich mit den geringen Dingen über Wasser halten, die es auf jüdische Bezugsscheine gab. Eugen durfte sogar seinen Fotoapparat behalten, was sonst für Juden streng verboten war. Er erinnert sich, dass es bei ihnen zu Hause fast normal zuging. Eugens Vater arbeitete als Handelsvertreter, war außerdem fast 60, sodass er nicht zur Wehrmacht eingezogen wurde.

Dennoch wusste Eugen, dass auch ihn eines Tages die volle Wucht der antijüdischen Verordnungen treffen würde, da sein natürlicher Vater ebenfalls Jude war. Mit 21 Jahren, der Volljährigkeit, würde ihn auch sein Stiefvater nicht mehr schützen können. Was dies bedeutete, ahnte er, als im Sommer 1942 alle der noch wenig verbliebenen jüdischen Schulen in Berlin geschlossen wurden. Nicht nur ihren – jüdischen – Lehrern wurde klar, welche radikale Haltung des Naziregimes sich mit diesem Schritt ankündigte. Wer keine Schulen für Kinder bereithält, der plant eine Zukunft ohne sie! Eugen musste nun Zwangsarbeit auf dem jüdischen Friedhof in Berlin-Weißensee verrichten. Den Friedhof gab es während der gesamten NS-Zeit, da die in Berlin vor der Deportation verstorbenen oder ermordeten Juden nicht auf christlichen Friedhöfen beigesetzt werden durften. So verbrachte Eugen hier die Tage mit Laubrechen und dem Abtransport von Unkraut auf Komposthaufen. Es gab weit schlimmere Zwangsarbeiten, erinnert sich Eugen. Aber auch daran, dass der Weg dorthin, mit dem stigmatisierenden gelben Stern durch die halbe Berliner Innenstadt, eine tägliche Strapaze bedeutete. Von Kreuzberg bis Weißensee waren es etwa elf Kilometer. Bis zu sieben Kilometer mussten Juden laufen, erst auf längeren Strecken durften sie Busse und Bahnen benutzen. Die Ausnahmebescheinigung für den Juden Eugen Israel Friede besagte, dass er den Weg zum Friedhof Weißensee ausnahmsweise mit der Bahn zurücklegen durfte. Doch freuen konnte er sich darüber nicht. Mit seinem Judenstern zog er die Blicke der Mitfahrenden auf sich. Sei es, dass sie ihn frühmorgens anglotzten, so als wollten sie sich vergewissern, wie ein Jude in Wirklichkeit aussehe. Oder aber, was auch immer wieder mal vorkam, dass sie ihn betroffen anschauten. Sich dafür schämten, was mit den jüdischen Menschen geschah. „Immer wieder mal hab ich auch was heimlich zugesteckt bekommen. Einen Apfel oder eine Tafel Schokolade, oder ʼne Packung Zigaretten. Irgendwas halt. Die Leute haben damit signalisieren wollen, dass sie mit der Politik der Nazis nicht einverstanden waren, es war eine Art stummer Protest." Eugen versuchte, sich unsichtbar zu machen, vertiefte sich während der Bahnfahrten in Bücher. Vorzugsweise über sein Hobby, das Fotografieren. Selbstverständlich hat er auch Helga fotografiert – und ihre Bilder zwischen die Seiten seiner Bücher gelegt. So konnte er sie unterwegs immer betrachten. Von ihr träumen, während um ihn herum die mürbe werdende Berliner Arbeiter- und Angestelltenwelt ihrem ständig trister werdenden Kriegsalltag entgegenfuhr. Eines der Fotos, dass Eugen wie durch ein Wunder über die NS-Zeit retten konnte, zeigt zwei jüdische Teenager: Er hat seinen Arm über die Schulter der hübschen Helga gelegt, während ein Mitschüler den

Auslöser bediente. Ein fast normales, verliebtes Schülerpaar. Lediglich der Stern auf den Pullovern der Teenager verstört beim Betrachten des festgehaltenen Augenblicks.

Doch auch wenn Eugen versuchte, so unauffällig wie nur möglich durch die Stadt und sein von Verboten zugestelltes Leben zu gleiten, stand er der Willkür des Systems dennoch wehrlos gegenüber. Eine Begebenheit von besonderer Bösartigkeit ließ ihn ihm schließlich den Entschluss reifen, so schnell wie möglich zu verschwinden: Als er im Januar 1943 an einer Straßenbahnhaltestelle im Dämmerlicht einer Gaslaterne wartete, trat ein Mann mit langem Ledermantel und Schlapphut an ihn heran. Eugen wusste sofort, es musste einer von der Gestapo sein. Der Schlapphut-Träger griff mit dem spitzen Nagel seines kleinen Fingers unter den Rand des Sterns an der Jacke und rupfte ihn kurzerhand ab. „Du hast deinen Stern nicht vorschriftsgemäß angebracht!", raunzte der hochaufgeschossene Erwachsene den Jungen an. Wenn Eugen heute daran denkt, steigt in ihm noch immer Wut auf. Am liebsten hätte er dem Sadisten ein Messer in den Bauch gerammt. Doch Eugen blieb nichts weiter übrig, als still und brav seinen Namen zu nennen, den der Gestapo-Mann notierte. Samt Adresse. Er entließ ihn mit einer Drohung, stieß einen Fluch aus und marschierte weiter.

Das nächtliche Bild vorbeirumpelnder Lastwagen mit auf der abgedeckten Ladefläche sitzenden Uniformierten, die die abgeholten Juden bewachten, gehörte bereits zum schaurigen Alltag Berlins.

S. 31: Cover des Buches „Der Giftpilz" und eine Textstelle daraus. Es ist eines der antisemitischen Hetzbücher, womit „arische" deutsche Kinder zum Hass auf die Juden erzogen werden sollten.

Eugens Mutter nähte den Stern wieder an, doch konnte Anja Friede ihre Erschütterung über die Rechtlosigkeit ihres Kindes nicht verbergen. Und Eugens Stiefvater Julius ahnte, dass es damit nicht erledigt sein werde. Der Gestapo-Mann hatte Eugens Namen und Adresse notiert. Verstöße gegen die Bestimmungen, wie Juden sich zu verhalten hatten, insbesondere Verfehlungen beim Anbringen des Sterns, wurden unnachgiebig bestraft. Die Verfolgungsbehörden hatten all diese peinigenden Vorschriften ersonnen, um vielfältige Gründe für eine Verfolgung zu haben. Der Junge musste mit seiner Verhaftung und Deportation rechnen. Zudem war Eugens Eltern nicht verborgen geblieben, dass bereits seit Wochen verstärkt Razzien bei jüdischen Berlinern durchgeführt wurden. Überfallartige Verhaftungen der Bewohner ganzer Häuser hatten stattgefunden. Das nächtliche Bild vorbeirumpelnder Lastwagen mit auf der abgedeckten Ladefläche sitzenden Uniformierten, die die abgeholten Juden bewachten, gehörte bereits zum schaurigen Alltag Berlins. Julius Friede begann, sich in seinem Freundes- und Bekanntenkreis umzuhören, wer bereit sein könnte, Eugen aufzunehmen. Er würde seinen Stiefsohn beschützen wie sein eigenes Kind.

Schau, Franz, vor den schlechten Menschen muß man sich in Acht nehmen wie vor Giftpilzen. Und weißt Du, wer diese schlechten Menschen, diese Giftpilze der Menschheit sind?" fragt die Mutter. Franz wirft sich stolz in die Brust „Jawohl, Mutter! Das weiß ich. Es sind die Juden. Unser Lehrer hat uns das schon oft in der Schule gesagt." Lachend klopft die Mutter ihrem Franz auf die Schulter. „Donnerwetter, du bist ja ein ganz gescheiter Junge!" und dann wird sie ernst „Wie ein einziger Giftpilz eine ganze Familie töten kann, so kann ein einziger Jude ein ganzes Dorf, eine ganze Stadt, ja sogar ein ganzes Volk vernichten." – Franz hat die Mutter verstanden."

Aus dem Kinderbuch „Der Giftpilz", erschienen 1938

KAPITEL 2

UNSICHTBAR WERDEN

WIE TAUCHT MAN IN DER EIGENEN STADT UNTER?

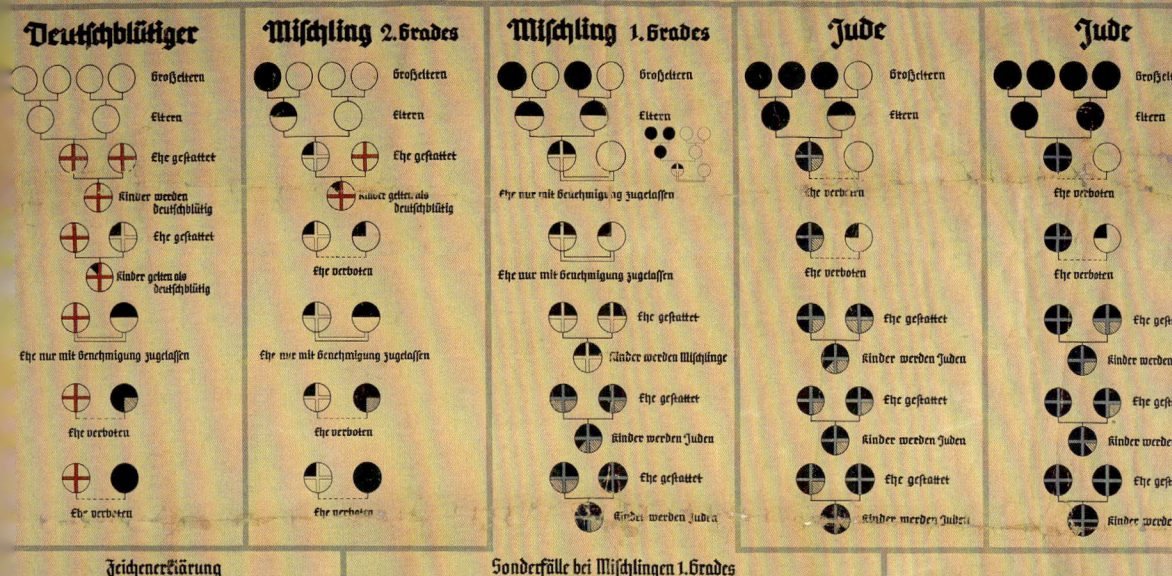
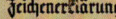

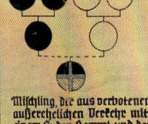

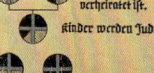

Hanni Lévy erinnert sich noch, als wäre es heute gewesen. Es war
der Moment, der ihr Leben auf den Kopf stellen würde, an einem
Samstagnachmittag im Februar 1943. Die 17-Jährige plagte eine eitrige
Entzündung an ihrem kleinen Finger und war froh, einen Arzt aufsu-
chen zu können, obwohl Ärzte jüdischen Patienten nicht mehr helfen
durften. Der Mediziner hatte Herz gezeigt und Hannelore Weissenberg,
so hieß sie damals, den Finger desinfiziert und einen Verband angelegt.
Die Entzündung verdankte sie den harten Arbeitsbedingungen in der
Fabrik für Fallschirme. Die dünnen Fäden hatten sich immer wieder in
ihre Haut eingeschnitten und die Stelle schließlich entzündet. Nun kam
sie mit bandagiertem Finger zurück in das sogenannte Judenhaus in
der Augsburger Straße, wo sie wohnte. Als sie die Tür öffnete, bemerkte
sie sofort, dass etwas nicht stimmte. Es war noch ruhiger als ohnehin
in den letzten Tagen. Die Familie, die sie aufgenommen hatte, war vor
wenigen Wochen bereits abgeholt worden. Sie selbst durfte bleiben, da
sie nicht mit den Leuten verwandt und daher auch nicht auf deren De-
portationsliste mit erfasst war. So hatte sie die Zeit bereits alleine in der
Wohnung verbracht, sich Gedanken gemacht, was nun werden würde.
Würde eine andere, unbekannte jüdische Familie mit einziehen? Würde
sie mit ihnen auskommen? Immerhin hatte man Küche und Bad zu
teilen, alles war sehr beengt, sodass man sich kaum aus dem Weg gehen
konnte. Sie setzte sich an den Küchentisch, bereitete einen Tee vor, als
sie plötzlich Geräusche von ankommenden Autos auf der Straße hörte.
Mehrere Lastwagen parkten offenbar unmittelbar vor der Tür, Männer
schrien sich Befehle zu. Die Haustür wurde aufgestoßen, schwere Stiefel
polterten das Treppenhaus hinauf. Über ihr in den Stockwerken wurde
an den Türen gehämmert, „Aufmachen Gestapo!" geschrien. Sie hörte
eine Frau kreischen, Kinderweinen aus dem Seitenflügel. Ganz offenbar
sollte das Haus geräumt werden, waren Verhaftungen im Gange. Hanni
blieb still am Tisch sitzen, lauschte, als Schritte vor ihrer Wohnungstür
Halt machten und eine Faust heftig zu klopfen begann. „Aufmachen!
Geheime Staatspolizei, Aufmachen!" Hanni krallte sich in den Tisch,
hielt die Luft an, hoffte, dass man sie nicht hören würde, obwohl sie

S. 32: Eugen
S. 34 oben: Ab September
1938 durften die wenigen
noch praktizierenden
jüdischen Ärzte nur jüdi-
sche Patienten behandeln.
links: Adolf Hitler,
umjubelt von seinen
Volksgenossen.
Mitte: Ab September
1941 mussten alle Juden
in Deutschland den Ju-
denstern sichtbar auf der
linken Brustseite tragen.
unten: Grafische Darstel-
lung zum „Blutschutzge-
setz", verabschiedet auf
dem Reichsparteitag der
NSDAP in Nürnberg 1935.

sich bereits nicht zu regen gewagt hatte. Es klopfte erneut, und alles in ihr verlangte danach aufzustehen, zur Tür zu gehen und aufzumachen, damit es endlich zu klopfen und brüllen aufhören würde. „Wenn jemand an eine Tür klopft, müssen Sie aufmachen. Das ist eine Reaktion, die ich mir nie zuvor überlegt hatte, aber so ist es: Sie müssen aufmachen!" Aber Hanni machte nicht auf. Stattdessen zwang sie sich, sitzen zu bleiben. Es klopfte erneut, noch heftiger, doch dann entfernten sich die Schritte. Hanni blieb weiter sitzen, wartete, lauschte, ob die Stiefel und Stimmen wiederkommen würden. „Ich weiß nicht mehr, wie lange ich da saß", erinnert sich Hanni Lévy heute, „vielleicht waren es zwei Stunden." Als sie das Gefühl hatte, dass draußen niemand mehr ist, griff sie ihre Handtasche, einen Mantel, ihren Schal. Entriegelte die Wohnungstür und schlich sich auf Zehenspitzen aus dem Haus.

> **„Ich kann nicht mehr sagen, ob ich große Angst hatte – ich hatte einen Lebenswillen, so kann man das sagen. Den Willen weiterzuleben, den Willen irgendwie aus der Sache rauszukommen."**

Draußen war es bereits dunkel geworden, sodass sie unerkannt die Augsburger Straße verlassen konnte. Durch die unbeleuchtete Stadt lief sie in die nahegelegene Wilmersdorfer Güntzelstraße, wo sie bei einer Familie Zuflucht suchte, die sie von ihrer verstorbenen Mutter noch kannte. Als sie dort angekommen war, begriff sie, dass sie durch ihr widerständiges Handeln der Deportation entgangen war. Aber auch, dass sie sich einer staatlichen Anordnung widersetzt hatte. Nun wahrscheinlich von Gestapo und Polizei gesucht würde, womöglich zur Fahndung ausgeschrieben sei. Doch dies bestärkte sie nur in ihrem Entschluss: Sie will nicht deportiert werden. Sie will in Berlin bleiben, sich hier verstecken. Sie will leben. Nachdem sie bei der Familie erst einmal durchgeatmet hatte, traf sie ihre erste Entscheidung: Sie trennte ihren Judenstern vom Mantel. Ihre Kennkarte, auf der das verräterische J sowie der Zusatzvorname Sarah vermerkt war, wagte sie jedoch noch nicht zu vernichten. Sie versteckte sie unter der Matratze und legte sich ins Bett. In ihrem Kopf schwirrten die Gedanken umher, jedoch ohne dass sie Antworten auf die vielen drängenden Fragen gehabt hätte: Woher würde sie ihre Lebensmittelmarken bekommen, wenn sie untergetaucht ist? Wie käme sie an Geld, um sich mit etwas Essbarem womöglich auf dem Schwarzmarkt zu versorgen? Wie sollte sie Leute kennenlernen, denen sie vertrauen kann? Wo könnte sie schlafen, wie sollte sie sich Kleidung beschaffen? Sie wusste überhaupt nicht, wie es weitergehen sollte – schlief aber dennoch ein und tief und fest durch. Heute weiß sie, dass sie intuitiv alles richtig gemacht hatte: Sie überlegte nicht lange, wartete nicht ab, sondern handelte. Sie war untergetaucht, weil sie ihrer inneren Stimme folgte. Sie vertraute darauf, dass sie es irgendwie schaffen würde und dass es alle Male besser sei, als sich deportieren zu lassen. „Doch wie es weitergehen sollte mit den Papieren und dem Essen, davon hatte ich keine Ahnung. Aber so ist man, wenn man 17 ist", versucht die alte Dame in Paris heute zu erklären, was ihr, dem Waisenmädchen, damals den Mut gab, abzutauchen.

Von den damals – immerhin – knapp 7000 jüdischen Berlinern, die es zunächst schafften, sich ihrer Deportation zu entziehen, waren die meisten ganz jung. Nur junge Menschen sind in der Regel bereit, von einem Augenblick zum anderen alles hinter sich zu lassen. Hanni nahm nur ihre Handtasche, ihren Mantel und einen Schal mit – alles Übrige ließ sie kurzerhand zurück. Ältere Menschen zaudern viel stärker bei dem Gedanken daran, welche enormen Schwierigkeiten ein Leben in der Illegalität mit sich bringen wird. Ihnen fällt es viel schwerer, sich auf die von Tag zu Tag verändernden Verhältnisse einzustellen. Bei Fremden zu übernachten. Vielleicht auf einer Liege in der Küche einer Familie, die man nicht kennt, und von der man nicht weiß, ob nicht doch der Schwager oder der Cousin oder die Nachbarin zur Polizei geht, und meldet, dass eine verdächtige Person nebenan Unterschlupf gefunden hat. Menschen, die bereits einen Gutteil ihres Lebens hinter sich gebracht haben, sind nur sehr schwer in der Lage, sich zudem von all dem zu trennen, was ihnen lieb und wichtig ist. Sie würden versuchen, zumindest das Wichtigste in einem Koffer mitzunehmen und dadurch Verdacht erregen. Wer in der eigenen Stadt in der Illegalität überleben will, muss in der Lage sein, von einem zum anderen Moment sofort die Wohnung zu verlassen. Auch ohne zu wissen, wo man die nächste Nacht verbringen wird.

Ruth Arndt Gumpel wird bis ans Ende ihres Lebens nicht vergessen, wie es war, nicht zu wissen, wo man hin kann. Oft irrte die 20-jährige Arzttochter nachts draußen umher. Lief durch die Straßen, bis es endlich dämmerte und sie in einer Wohnung zumindest den Tag verbringen durfte. Sie und ihre vierköpfige Familie vertrauten dabei auf ein von ihrer Helferin Anni Gehre gestricktes Netzwerk, dass sich aus einigen ehemaligen Patienten von Dr. Arndt zusammensetzte. Dr. Arndt selbst wurde von Anni und Max Gehre bei sich zu Hause in einer kleinen Kammer neben der Küche versteckt. Mutter und Bruder brachte sie zunächst in der Nachbarschaft bei einer weiteren ehemaligen Patientin, Frau Lévèbre, unter. Dort, in Kreuzberg, durfte sich auch Ruth aufhalten, aber zunächst nur tagsüber, um bei den Anwohnern keinen Verdacht zu erregen. So war Ruth froh, wenn sie morgens, sobald die Nachbarn zur Arbeit gingen, zu Frau Lévèbre in die Wohnung hineinhuschen konnte, um dort den Tag zusammen mit ihrer Familie zu verbringen.

„Sehr oft, wenn ich keine Unterkunft hatte, bin ich draußen herumgelaufen, bis zum Morgen dann, bis ich in die eine oder andere Wohnung gehen konnte."

Wochenlang ging dies so. Sie saßen dort in Wintermänteln im Februar und März im Schlafzimmer, vertrieben sich die Zeit mit Gesellschaftsspielen und Lesen. Und schärften ihre Sinne im Erkennen, wer aus welchem Stockwerk tagsüber das Haus verließ und wer kam. Auch wenn sie immer wieder in Alarmbereitschaft versetzt waren – jedes Mal, wenn es an der Tür klingelte und ihre Helferin öffnete, stellten sie ihre Unterhaltung ein und lauschten angespannt, wer draußen im Treppenhaus stand –, so war es doch ungleich angenehmer und vor allem sicherer, als sich draußen unsichtbar zu machen. Auf der Straße herumzugondeln, Geschäftigkeit vorzutäuschen, so zu tun, als sein man auf dem Weg zu einem bestimmten Ort, während man in Wirklichkeit nicht wusste, wo man anklopfen konnte.

Für junge Männer war dies noch weit gefährlicher als für gleichaltrige Frauen, da jeder, der im wehrfähigen Alter nicht in einer Uniform unterwegs war, ständig Gefahr lief, kontrolliert zu werden. Von Feldjägern auf der Suche nach Deserteuren, von der Gestapo auf der Suche nach geflitzten Juden, von der normalen Polizei auf der Suche nach ausgerissenen Fremd- oder Zwangsarbeitern. Berlin, die Reichshauptstadt, war überzogen von einem dichten Netzwerk aus Kontrolleuren, Spitzeln und Denunzianten. Um dem zu entgehen, musste man daher auf den Straßen der Stadt einen so unbeteiligten Gesichtsausdruck wie nur eben möglich zur Schau tragen – und dies, obwohl einem möglicherweise das Herz bis zum Hals schlug oder der Magen knurrte, weil man seit drei Tagen nur eine wässrige Suppe mit ein paar alten Brotresten gegessen hatte.

Es war schrecklich, erinnert sich Mrs. Gumpel im Interview, der nach mehr als sieben Jahrzehnten immer noch der Eindruck haften geblieben war, als sei die Zeit in Berlin ein ewiger Winter gewesen. „Ständig war es kalt, lagen noch Reste von Schnee in den grauen Straßen, zog ein eiskalter Wind durch den Mantel hinein." Der Winter 1942/43 war – erneut – einer der kältesten in der Geschichte Berlins. Hinzu kam, dass die im November 1939 eingeführten Kleiderkarten Juden verwehrt blieben und sie sich daher keine neue Garderobe zulegen konnten. So besaßen die allermeisten nur jene Sachen, die sie bereits seit Ewigkeiten trugen. Das bedeutete für die Untergetauchten zugleich ein weiteres Risiko, in der Öffentlichkeit entdeckt zu werden, denn es konnte Aufmerksamkeit erregen und Argwohn wecken, wenn jemandem geflickte Stellen am Revers eines Anzuges, Mottenlöcher in einem Mantel oder ein durchgeschubberter Hosensaum auffielen. Ruth und ihre Familie hatten großes Glück, dass die Verlobte ihres Bruders Jochen, Ellen Lewinsky, eine Ausbildung zur Modeschneiderin gemacht hatte. Sie half, die Garderobe der anderen in ordentlichem Zustand zu halten.

Die drei Jahre jüngere Hanni Lévy hatte die ersten Tage bei der Freundin ihrer Mutter zubringen können. Da sie miterlebt hatte, wie ihr Haus von der Gestapo geräumt, alle noch dort wohnenden Juden verhaftet und abtransportiert worden waren, dachte sie, dass sie womöglich die einzige noch in Berlin verbliebene Jüdin wäre.

„Ich habe gedacht, ich bin die Einzige, habe mir nie vorstellen können, dass noch andere dasselbe tun. Hatte ja gar keinen Kontakt mehr gehabt. Hab nicht gedacht, dass andere versuchen, sich zu retten."

Die Familie, die sie aufnahm, machte Hanni klar, dass sie sich unbedingt verändern müsste. Auch wenn sie sich nun nicht mehr im selben Viertel befand, wo Nachbarn sie zufällig auf der Straße entdecken und womöglich denunzieren könnten, sollte sie das Risiko ihrer Entdeckung soweit es ging minimieren. Schnell war klar, dass sie ihr dichtes, braunes Haar blondieren lassen sollte. Zusammen mit einer Helferin ging sie zu einem kleinen Friseursalon. Dabei kam ihr entgegen, dass blondes Haar damals sehr in Mode war, es war *die* Farbe im arischen NS-Deutschland. So blond wie die Schauspielerin Christina Söderbaum oder Marika Rökk wollten viele deutsche Frauen sein. So saß Hanni in einem kleinen Salon irgendwo in Berlin-Wilmersdorf, wartete inmitten ahnungsloser, „arischer" Mitwartender, bis sie an die Reihe kam. Las in einer Filmillustrierten, während die Gedanken fieberhaft in ihrem Kopf arbeiteten: Wird mich jemand ansprechen? Wird jemand spüren, dass mit mir etwas nicht stimmt? Dass ich auf der Flucht bin, gesucht werde? Sieht man mir dies an? Vor allem auch: Was sage ich, wenn der Friseur mich nach meinem Namen fragt? Ihr war klar, dass es weitere Termine geben würde. „Denn das ging nicht in einer Sitzung", erinnert sich Frau Lévy, „da musste ich zwei- oder dreimal wiederkommen, bevor ich richtig blond war. Und das hat damals auch gebrannt auf der Kopfhaut, das Färbemittel war richtig aggressiv." Sie wählte für sich dann einen Namen, der ihr so unverdächtig wie nur möglich erschien. „Hannelore Winkler" nannte sie sich. Dafür galten dieselben Initialen wie bei Hannelore Weissenberg. „H und W, das konnte ich mir gut merken. Nur später dann hatte ich große Schwierigkeiten, meinen alten Namen wiederzufinden, mich wieder dran zu gewöhnen."

Der Minister für Propaganda und Volksaufklärung Dr. Joseph Goebbels war ein eifriger Tagebuchschreiber und hat seine Beobachtungen der Nachwelt hinterlassen. So sind auch seine Gedanken zur Massenverhaftung am 27. Februar erhalten, die er am 11. März 1943 seinem Tagebuch anvertraute: „Im ganzen sind wir 4000 Juden dabei nicht habhaft geworden. Sie treiben sich jetzt wohnungs- und anmeldungslos in Berlin herum und bilden natürlich für die Öffentlichkeit eine große Gefahr."

Eugens Vater hatte seinem Stiefsohn einen Unterschlupf bei Bekannten besorgt. Ganz in der Nähe der Friedes, sie wohnten damals in der Belle-Alliance-Straße, dem heutigen Mehringdamm, gab es eine kleine Tankstelle. Julius Friede kannte einen der Männer, die dort Öl nachfüllten oder auftankten. Er wusste, dass sie gegen Hitler waren und mit Kommunisten in Kontakt standen. Bei diesen Leuten, die selbst von den Nazis als Volksverräter betrachtet wurden und Verfolgungen ausgesetzt waren, würde sein Sohn zunächst sicher sein, hoffte er. So hielt sich der 16-Jährige bereits seit 14 Tagen in der kleinen Zweizimmerwohnung eines ihm gänzlich unbekannten Ehepaares auf. Er saß in der Küche: die Spüle neben dem Waschzuber, die Eckbank, der Küchenschrank mit seinen schmuddelig schimmernden Schubfächern. Alles war fremd. Das Ehepaar war Mitte 50, das selbst keine Kinder hatte. Es waren Kommunisten, die schon früh wussten, was es bedeutete, wenn die Nazis an die Macht kamen. Nun waren sie darauf aus, durchzuhalten, bis der böse Spuk vorbei sein würde. Mehr wusste Eugen nicht von den Leuten. Die Geräusche, die vom Nachbarhof herüber schallten, machten ihm bewusst, wie sich allmählich alles zu entfernen begann, was einmal sein normales Leben ausgemacht hatte: Als er ganz in der Nähe zur Schule gegangen war, bis ihn sein Vater, weil er Jude war, aus der Klasse genommen hatte, damit ihm andere Kinder nicht mehr Knoblauchfresser und dergleichen Bösartigkeiten hinterherriefen. Als er dann in eine der wenigen jüdischen Schulen geschickt wurde, wo er zum ersten Mal in seinem Leben etwas darüber erfuhr, was „Jüdisch sein" vom „Nichtjüdisch sein" unterschied: Dass es ein paar andere Feste gab, dass man die Existenz von Gottes Sohn bestritt und ein paar Bräuche pflegte, von denen er keinen blassen Schimmer hatte, was sie zu bedeuten hatten. Aber Gott schien eigentlich derselbe zu sein, und die alten Geschichten spielten auch in derselben Gegend. Aber überhaupt: Bei ihnen spielte Religion, jüdische oder christliche, keine große Rolle. Bei ihnen zu Hause wurde am Tisch nicht gebetet. Sie lebten, wie alle anderen Leute in Kreuzberg auch. Stellten zu Weihnachten einen Tannenbaum auf und beschenkten sich gegenseitig. Ostern wurden Eier angemalt, weil es Spaß machte. In die Kirche ging man nie. Er war, bis er 15 war, nie in einer Synagoge gewesen. Und nun saß er bei einer fremden Frau seit bald zwei Wochen in deren ungeheizter Küche und fragte sich, warum er sich verstecken musste und wie lange das alles gehen würde. Vor allem aber, ob er Helga wiedersehen würde. Ob sie sich auch verstecken musste oder ob sie mit ihren Eltern in den Osten umgesiedelt werden würde. Was ihnen da bevorstand, darüber machte er sich keine Gedanken, stattdessen ärgerte er sich, dass ihn die Frau hier ständig ermahnte, dies und das zu unterlassen oder zu machen. Er durfte nicht am Fenster stehen, damit ihn die Nachbarn nicht sehen, abends nicht das Licht im Wohnzimmer anknipsen, ohne vorher die dicken Vorhänge zugezogen zu haben. Ihm war klar, dass dies alles nicht ohne Grund geschah, er hörte die beiden Erwachsenen abends flüstern, sie schienen unentwegt angespannt zu sein. Die Frau verbarg nach wenigen Tagen nicht mehr, dass Eugens Anwesenheit ihr unangenehm war, dass sie befürchtete, erwischt zu werden. Vor allem ließen sie ihn spüren, dass sie nicht genug zu essen hatten, um es mit ihm, einem 16-jährigen Jungen mit großem Hunger, zu teilen. So war Eugen fast erleichtert, als die Frau nach 14 Tagen zu ihm sagte, dass er nicht länger bei ihnen bleiben könne. Dass sein Vater kommen werde, um ihn abzuholen. Was Eugen aber nicht alarmierte, da er wusste, sein Vater würde sich schon etwas überlegt haben. Vielleicht würde er auch die Sache mit dem nicht vorschriftmäßigen Stern geregelt haben, und er könnte wieder zu Hause bei seinen Eltern wohnen, was ihm am liebsten gewesen wäre.

„Ich habe versucht, meine Eltern auszublenden", erinnert sich Cioma, als wir ihn vor der Kamera seine schier unglaubliche Rettungsgeschichte erzählen lassen. „Ich habe mich nur darauf konzentriert, was ist der nächste Schritt, was mache ich als erstes?"

„Bin ein Unikum. Hatte keine Angst, keine Gefahr empfunden, hab eher das Gefühl gehabt, ich schwänze die Schule und laufe da jetzt durch die Stadt. Und ich genieße das. Hatte nie den Eindruck, dass ich jetzt verhaftet werden könnte. Hatte ich einfach nicht."

Cioma hatte sich akribisch auf sein Untertauchen vorbereitet. Er wusste, dass die Gestapo die Wohnungen der Deportierten leer räumen ließ, sich dabei skrupellos selbst bediente. Da Mobiliar damals einen großen Wert darstellte – vor allem ausgebombte „Volksgenossen" mussten kurzfristig mit neuer Einrichtung versorgt werden – und Cioma Geld nach seinem Untertauchen benötigte, begann er alles, was sich verkaufen ließ, vorher zu veräußern. Als es dann soweit war, organisierte er seine neue, verborgene Existenz höchst einfallsreich: Er hatte erfahren, dass es am Bahnhof Zoo eine Zimmervermittlung gab, die Übernachtungen in privaten Haushalten vermittelte. Wer ein Fremdenzimmer – so nannte man dies damals – zu vermieten hatte, konnte bei dieser Zentrale anrufen und dies anbieten. Berlin erinnerte in diesen Tagen – Cioma war bereits im Herbst 1942 abgetaucht – den jungen Grafiker an einen gewaltigen Umsteigebahnhof. Uniformierte kamen in Zügen aus allen Richtungen in der Hauptstadt an, um von hier aus zu ihren Regimentern weiterzufahren. Oder ihre Einheit wurde vom Westen an die mit Furcht und Schrecken verbundene Ostfront verlegt, und so ging es auf der Durchfahrt durch Berlin. Hinzu kamen Zehntausende von SS-Angehörigen, die zu ihren schaurigen Einsätzen im Osten entsandt wurden. So bestand ein hoher Bedarf an einfachen Unterbringungsmöglichkeiten, der mit privaten Angeboten bedient wurde. Cioma hatte sich eine sorgsam ausgedachte Geschichte zurechtgelegt, mit der er mögliche Nachfragen nach Papieren bei der Vermittlung am Zoo beantworten wollte. Er hatte sie förmlich eingeübt, um sie möglichst selbstverständlich abspulen zu können. Sie war so einfach wie glaubwürdig: „Mein Onkel in Köln ist ausgebombt – Köln lag bereits im Zielgebiet britischer Bomber –, sodass meine Eltern beschlossen haben, dass der alte Herr in mein Zimmer einziehen kann, da ich ohnehin meinen Einberufungsbefehl bekommen habe, sodass ich für die paar Tage, bis es soweit ist, ein Zimmer suche" – mit listigem Funkeln in den Augen erzählt uns Cioma im Interview diese Geschichte. Doch damals am Zoo kam er nicht einmal dazu, sie zu Ende erzählen, die Angestellte der Zimmervermittlung in ihrem Bretterverschlag reichte ihm wortlos und desinteressiert eine Liste mit allen gerade verfügbaren Adressen in der Umgebung, während bereits der nächste hinter ihm aufrückte. „Die Frau hat sich überhaupt nicht dafür interessiert und da dachte ich mir: So einfach geht das."

Cioma steuerte eine nahegelegene Adresse an, fragte dort höflich, ob das Zimmer noch frei wäre und betrat es guter Dinge. Wichtig war, dass er möglichst spät erschien, damit auf Hinweise der Vermieter, sich polizeilich anzumelden, er dies ohne Argwohn zu erregen auf den nächsten Morgen verschieben konnte. Doch tags darauf ging es natürlich nicht auf die nächste Polizeiwache zur Anmeldung. Stattdessen verabschiedete er sich mit der knappen Erklärung, dass er überraschend sofort zu seinem Regiment einrücken müsse. So ging das vielleicht 20-mal, bis er eines Abends bei einer Frau Schirrmacher klingelte, die in ihrer Wohnung in Berlin-Schöneberg, in der Kleiststraße 7, gleich mehrere Zimmer an junge Männer vermietete, da sie als Offizierswitwe über Platz verfügte und auf ein zusätzliches Einkommen angewiesen war.

Nachdem Cioma ihr seine Geschichte vom Onkel erzählte, der in Köln ausgebombt sei, er von Berlin aus auf sein Einrücken bei der

Wehrmacht warte und seine Anmeldung bei ihr am nächsten Vormittag durchführe, erwiderte Frau Schirrmacher: „Wenn sie noch ein Zimmer bei ihren Eltern haben, dann sind sie dort bestimmt noch angemeldet?" Was Cioma bejahte. „Sagen Sie mal", fragte sie nach, „warum soll ich Sie denn dann noch ein zweites Mal anmelden?" Was einen Moment Irritation bei Cioma auslöste, die sich sofort legte, als er begriff, worauf die Offizierswitwe hinaus wollte: „Wenn ich Sie *nicht* anmelde, dann spar ich mir doch die Steuer!", konfrontierte sie ihn ganz direkt mit ihrem Anliegen. Worauf Cioma die rundliche Vermieterin, eine Frau in den 50ern, am liebsten umarmt hätte: Genau so eine Vermieterin hatte er die ganze Zeit gesucht: Eine Person, die keinen Wert darauf legte, dass er sich polizeilich anmeldete und dies selbst vorschlug, sodass nicht der Hauch eines Verdachts, er wolle die Polizei meiden, auf ihn fiel. Cioma benötigte das Zimmer zudem dringend, da er bereits begonnen hatte, Dokumente für andere Untergetauchte zu manipulieren. Über einen jüdischen Freund war er mit einer jungen Frau in Kontakt gekommen, die für ihren Freund wiederum dringend einen Ausweis benötigte. Die Frau, Edith Wolff, mit christlichem Vater und jüdischer Mutter, nach der NS-Rasseneinteilung nur „Mischling", zudem christlich getauft und daher nicht zum Tragen des Judensterns verpflichtet, war eine äußerst mutige und beherzte Frau, die versuchte, Hilfe für andere Verfolgte zu organisieren. Da dies an erster Stelle vom Besitz amtlicher Dokumente abhing, war sie auf der Suche nach einem guten Fälscher. Es gab damals etliche solcher Spezialisten, die sich diese gefährliche Arbeit mitunter sehr gut bezahlen ließen, doch nur sehr wenige, die so präzise arbeiteten, dass ihre Ausweispapiere bei Kontrollen und genauen Prüfungen standhielten. Cioma hatte, bevor er zur Zwangsarbeit befohlen wurde, eine Ausbildung zum Grafiker an einer Kunstgewerbeschule in Schöneberg begonnen. Er verstand etwas von Papier, von Pinseln und Tusche. Er wusste, wie man den Abdruck eine Stempels nehmen konnte – mit einem angefeuchteten Zeitungspapier –, um ihn auf ein anderes Ausweisepapier zu setzen und die Linien nachzuziehen. So jemand wie er war von größter Wichtigkeit für Edith Wolff und ihre Helfer, die sich vorgenommen hatten, den im Untergrund nach Rettung Ausschau haltenden jüdischen Berlinern zu helfen.

S. 45 oben: Hanni *unten*: In der Werkstatt von Max Köhler: Lina Arndt und ihre Kinder Ruth und Jochen sowie dessen Freundin Ellen Lewinsky

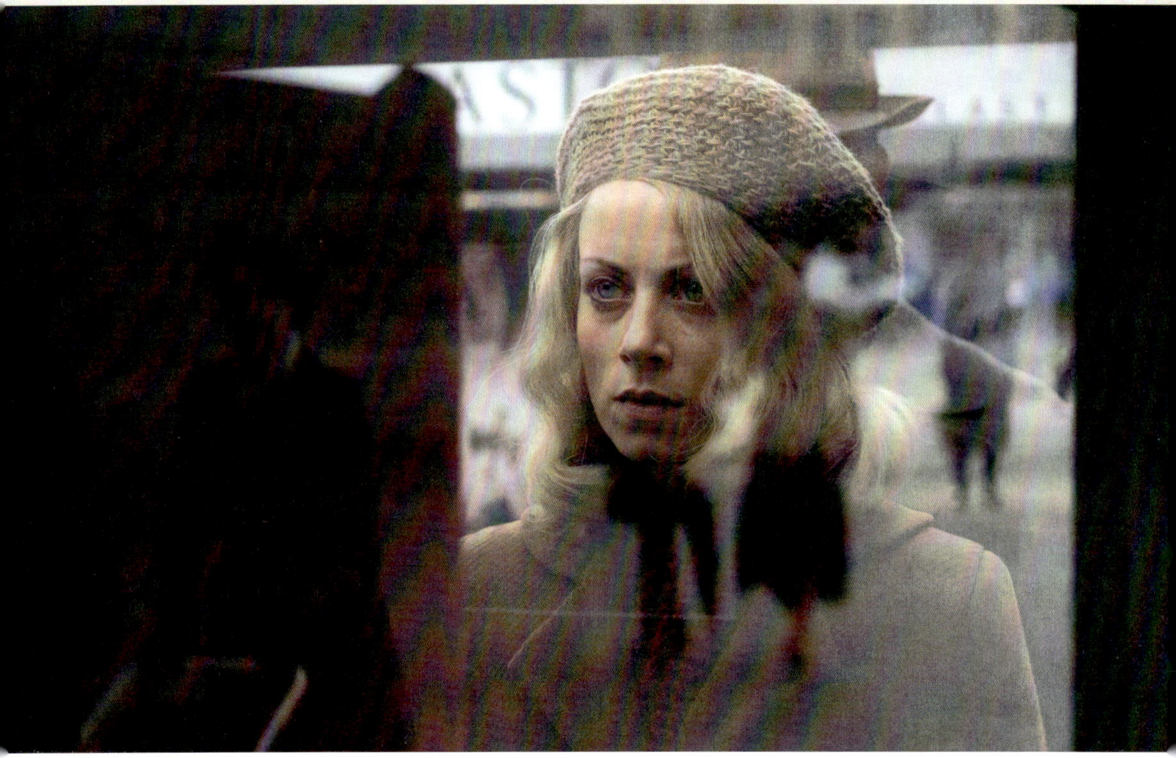

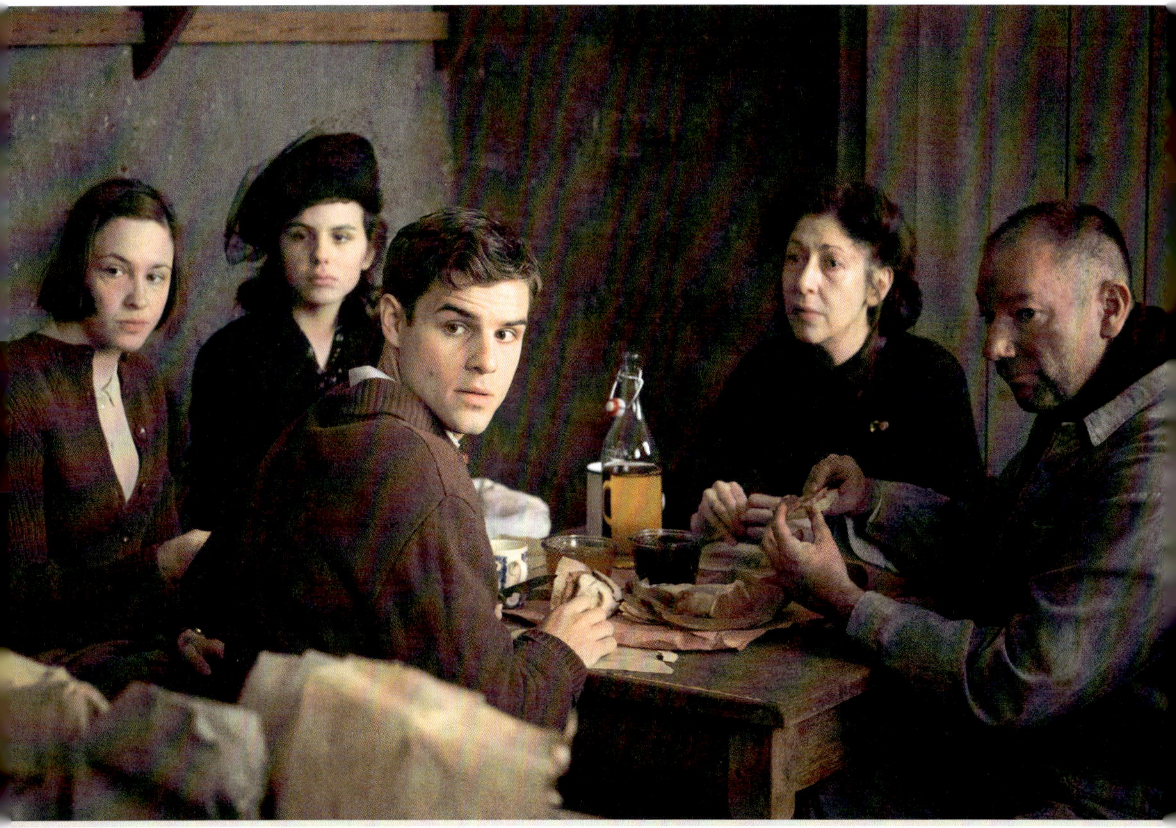

Hanni Lévy wagte nicht daran zu denken, sich einen gefälschten Ausweis zu beschaffen. Sie hatte keine Kontakte, war zu jung und zu unerfahren gewesen, als sie sich geistesgegenwärtig ihrer Verhaftung entziehen konnte. Aber sie lernte dazu. Wie im Zeitraffer erkannte sie, worauf es ankam, wenn sie nicht geschnappt werden wollte. Sie spürte, dass sie eine andere Person geworden war. Sie war sich zugleich fremd und vertraut, als sie sich zum ersten Mal in blonder Vollendung auf dem Friseurstuhl sah. Beim Blick in den Spiegel ahnte sie, dass sie geschützt sein würde, da sie, blond wie sie nun war, niemand für eine versteckte Jüdin halten würde. Sie sah vollkommen anders aus als die von der NS-Propaganda gezeichneten, ausgemergelten, dunklen und hakennasigen Menschen, auf die alle „arischen Volksgenossen" zu achten hätten, da sie gemeingefährlich seien.

Doch Hanni konnte nicht die ganze Zeit im Haus verbringen. Sich über einen langen Zeitraum nur *in* einer Wohnung zu verstecken, war mehr als riskant. So begann sie, tagsüber hinaus zu gehen, Spaziergänge in der Umgebung zu machen. Schnell lernte sie, dass sie dort am sichersten war, wo viele Menschen unterwegs waren. Im Gewusel des belebten Kurfürstendamms und seiner Nebenstraßen fiel man am wenigsten auf. Der Boulevard war im Frühjahr 1943 noch unzerstört, Geschäfte und Cafés geöffnet, lediglich das eingeschränkte Sortiment und die vielen Uniformierten auf den Bürgersteigen ließen spüren, dass Deutschland bereits seit dreieinhalb Jahren Krieg mit seinen Nachbarn – und der halben Welt – führte. Hanni machte hier das, wovon die meisten der in der Illegalität Überlebenden später berichten: Sie simulierte Betriebsamkeit, lief herum und gab sich dabei den Anschein, als ob sie beschäftigt sei. Als käme sie gerade von einer Verabredung oder müsse sich beeilen, um jemanden irgendwo weiter die Straße hinauf oder hinunter zu treffen.

> „Worauf ich mich immer am allermeisten konzentriert habe: Nicht aufzufallen, mich zu benehmen. Wie jeder andere auf der Straße, keine Angst zu zeigen. Nicht aufzufallen, das war das Hauptgesetz."

Dabei beobachtete sie ihre Umgebung mit großer Wachsamkeit. Wich auf Streife gehenden Polizisten aus, wechselte die Straße, wenn ihr Gestapo-Leute, die an ihren Mänteln zu erkennen waren, entgegenkamen. Doch stundenlanges Spazierengehen strapazierte auch eine 18-Jährige. Nach und nach traute sie sich in die Cafés am Boulevard. Ein bisschen Geld für eine Tasse Ersatzkaffee hat sie von der Familie zugesteckt bekommen. So betrat sie das *Kranzler*, das *Café am Kempinski* oder das *Quick* in der Nürnberger Straße, um sich auszuruhen und aufzuwärmen. Sie setzte sich stets so, dass sie das ganze Lokal im Blick hatte und hinter ihrem Rücken nicht viel Raum für Überraschungen blieb. Zudem achtete sie darauf, dass sie in wenigen Schritten den nächsten Ausgang erreichen konnte. Für den Fall einer Razzia. Oder den Besuch von Feldjägern, die häufiger auftauchten, um nach jungen Männern in Zivil – möglichen Deserteuren – Ausschau zu halten. Dabei kam Hanni zunächst nicht in den Sinn, dass sie in dieser Situation mit anderen untergetauchten Juden dasselbe Schicksal teilte. „Ich hab damals wirklich gedacht, ich bin die Einzige. Ich hab gedacht, alle anderen sind abgeholt worden und ich bin die Einzige, die hier in Berlin noch rumläuft." Dass sie von ehemaligen Anwohnern erkannt werden könnte, schien ihr nicht wahrscheinlich. Die neue Frisur und veränderte Haarfarbe ließen die 18-Jährige nicht nur anders, sondern auch erwachsener wirken. Sie bemerkte, dass sie nicht selten von Männern angeschaut wurde, begriff auch schnell, dass dies keine misstrauischen Blicke waren. Manchmal wurde sie angesprochen und eingeladen. Um sich nicht in eine schwierige Situation zu begeben, wich sie solchen Kontakten aus, verließ den Ort und setzte ihre ausgedehnten Spaziergänge draußen wieder fort. Diese ständige Wachsamkeit und die damit einhergehende Anspannung, vor allem aber der Umstand, dass sie laufend selbstständig Entscheidungen treffen musste, veränderten Hanni. Sie wurde selbstbewusster, sammelte wie im Zeitraffer Erfahrung: „Ich hab mich dazu gezwungen, anders zu reagieren, denn solange ich noch meinen Namen hatte und mein altes Aussehen, musste ich mich ja ducken. Wenn mich jemand angesprochen hatte, früher, als ich noch da war, war man immer sehr verängstigt. Irgendwie ist das von mir abgefallen. Du darfst jetzt nicht mehr ängstlich sein, denn dir kann keiner was, denn du bist ja nicht mehr offiziell da! Ich weiß nicht, ob die anderen jungen Leute so gedacht haben, es war alles Abwehr. Wir waren ja geduckt, und nun musste ich lernen, nicht mehr geduckt zu sein, zu versuchen nicht mehr Angst zu haben."

> „Leerer Magen, keine Aussicht auf eine warme Mahlzeit,
> nicht mal eine Tasse Kaffee und dann nicht zu wissen, wo bleibt man,
> das war ein bisschen schwierig."

Ruth Arndt, die Arzttochter aus Kreuzberg, wagte, nachdem sie schon einige Wochen die Tage bei ihrer Mutter und ihrem Bruder in der Wohnung der Lévèbres verbrachte hatte, ihren Vater zu treffen. Tagsüber war dies zu riskant, daher verabredeten sie sich, vermittelt durch die unermüdliche Anni Gehre, nach Einbruch der Dunkelheit am nahegelegenen Landwehrkanal. Es war ein herzergreifendes Wiedersehen, so schildert uns die alte Mrs. Gumpel dies, als sie erkannte, wie sehr er unter der Situation litt. Ihr geliebter Vater, der bis zu ihrem Untertauchen immer derjenige gewesen war, den man um Hilfe bitten konnte, der seine Tochter immer zu beschützen versuchte – er konnte nun nicht mehr für Ruth tun, als ihr ein paar Butterbrote zuzustecken, die ihm Anni Gehre mitgegeben hatte. Denn die allermeisten Untergetauchten standen jeden Tag aufs Neue vor dem schier unüberwindbaren Problem, sich etwas Essen zu besorgen. Lebensmittel hatte es vor ihrem Untertauchen schon nur so viel, wie gerade notwendig und nur gegen Bezugsschein gegeben. Nun entfielen die Lebensmittelkarten, und man hatte keine Einkünfte, lebte von Erspartem. So wurde der Hunger zu einem ständigen Begleiter, erinnert sich die alte Dame aus Marin County in California. „Das ist alles in mein *Mind* ein bisschen verwischt, aber ... ich kann es direkt fühlen. Leerer Magen, keine Aussicht auf eine warme Mahlzeit, nicht mal eine Tasse Kaffcc und dann nicht zu wissen, wo bleibt man, das war ein bisschen schwierig." Daher war Ruth heilfroh, als ihr Frau Gehre eine Schwarzarbeit vermittelte. In einem kleinen Geschäft in Kreuzberg, einem Reformhaus, wo die Besitzer jemanden suchten, der nach Feierabend sauber machte. Die Leute stellten keine Fragen. Sie zahlten ohne Rechnung und waren froh, jemanden gefunden zu haben, der das machte, Deutsch sprach und irgendwie vertrauenerweckend wirkte. Damals war es kaum möglich, deutsches Personal zu bekommen. Alle Frauen im arbeitsfähigen Alter wurden zu Arbeiten in kriegswichtigen Betrieben eingesetzt. Sie hielten die Heimatfront – wie es in der Propagandasprache hieß. Dennoch fehlten Arbeitskräfte, vor allem für die zuvor von jüdischen Männern erbrachten Schwerarbeiten. Hierfür wurden parallel zur Deportation der Juden Zehntausende von

Fremdarbeitern nach Berlin geholt. Unter ihnen gab es viele Italiener, aber auch Franzosen, Holländer und Belgier, die sich frei in der Stadt bewegen durften. So vergrößerten sie das Durcheinander von Menschen, die sich nicht kannten, und das erleichterte zugleich die Situation der untergetauchten Juden. Etliche Gerettete erzählten, dass sie sich bei Fremdarbeitern aus den besetzten Nachbarländern verstecken konnten. Oder von ihnen etwas zu essen bekamen. Oder deren als verloren gemeldete Aufenthaltsdokumente überlassen oder verkauft bekamen. Diese Solidarität hat nicht wenige Menschen gerettet. Und noch etwas begünstigte das Leben in der Illegalität mit fortschreitender Kriegsdauer: die Verdunklung. Angeordnet unmittelbar nach dem Angriff auf Polen, wurde die Metropole Berlin dadurch zu einem im wortwörtlichen Sinne düsteren Ort, der das Ausweichen, Entkommen und Nichterkanntwerden erleichterte. Wer nachts unterwegs war, riskierte zwar, eher kontrolliert zu werden, aber dafür konnte, wer jung und wachsam war und über gute Augen verfügte, rechtzeitig sehen (und hören), wer ihm entgegen kam.

> Etliche Gerettete erzählten, dass sie sich bei Fremdarbeitern aus den besetzten Nachbarländern verstecken konnten. Oder von ihnen etwas zu essen bekamen. Oder deren als verloren gemeldete Aufenthaltsdokumente überlassen oder verkauft bekamen.

Der sich immer länger hinziehende Kriegszustand verschärfte aber zugleich die Bedingungen für die Untergetauchten. So endete für Ruth, ihren Bruder und die Mutter der Aufenthalt bei Frau Lévèbre aufgrund einer neuen Verordnung wegen der zunehmenden Bombenangriffe. Alle Wohnungsnehmer mussten ab 1943 verfügbare Zimmer für Bombengeschädigte melden. Ruth erinnert sich, dass es eines Tages, es war im Frühjahr 1943, aber immer noch kalt, an der Wohnungstür von Frau Lévèbre klingelte. Sie saßen in Wintermänteln auf dem Bett ihrer Beschützerin, als sie durch die Tür hörten, wie die Quartiergeberin einen Mann hereinließ. Der Mann wies sich zackig als Inspektor für Bombengeschädigte aus und erkundigte sich sofort nach der Zimmerbelegung. In Berlin wurden damals noch Leute aus dem Rheinland, dem Ruhrgebiet und von der norddeutschen Küste untergebracht, um sie im vermeintlich sicheren Hinterland vor den nächtlichen alliierten Bombenabwürfen zu schützen.

Der Inspektor entdeckte die Familie zwar nicht, aber sie musste anschließend ihr Versteck verlassen. Bei Frau Lévèbre wurde kurz danach eine Familie einquartiert. Ruth und ihre Angehörigen befanden sich nun erneut auf der Suche nach einem sicheren Ort, wo sie unentdeckt bleiben würden.

Eugens Vater Julius Friede beendete nach zwei Wochen den Aufenthalt seines Sohnes bei dem kommunistischen Ehepaar in Kreuzberg, denn, wie sich Eugen Friede erinnert, „saß ich die ganze Zeit bei der Frau herum, der es sehr unangenehm war, dass ich da war und für mich war es das auch." Zudem hatte sie Angst, dass sie auffliegen könnten, weil sie einen untergetauchten jüdischen Jungen versteckten.

Die Situation für diejenigen, die Juden versteckten, war gesetzlich nicht definiert. Es spielte sich außerhalb dessen ab, was laut Strafgesetz ein Delikt darstellte. Juden waren für die Gesetzgebung schlichtweg nicht existent. Juden befanden sich seit den sogenannten Nürnberger Rassegesetzen von 1935 außerhalb der Rechtsordnung. Statt ordentlicher Gerichte war für sie die Gestapo zuständig. Diejenigen, die ihnen Schutz oder Hilfe gewährten, wurden zwar von der Gestapo bedroht, auch für ein paar Tage eingesperrt und massiv verhört, um so herauszubekommen, ob es weitere Untergetauchte im Umkreis des Delinquenten geben könnte. Doch angeklagt und vor ein Gericht gestellt wurde keiner der nichtjüdischen Helfer. Denn – und dies ist wichtig – die Nazis scheuten sich, trotz ihres fanatischen Judenhasses, dies in einen Gesetzestext zu gießen. Es existierte im Bürgerlichen und Strafgesetzbuch kein Paragraf, der Verbot und Bestrafung für den Verstoß, untergetauchte Juden bei sich aufzunehmen und zu verstecken, definierte. Das NS-Regime scheute davor zurück, weil sonst nachweisbar gewesen wäre, dass jüdische Deutsche versuchten, in der Illegalität ihrer Verfolgung und Vernichtung zu entgehen. Es ist kein nichtjüdischer Deutscher, der einem jüdischen Deutschen Hilfe beim Überleben im Verborgenen gewährte, deshalb vor Gericht gestellt worden. Doch dessen ungeachtet verfing die Propaganda des Regimes und ermunterte die „Volksgemeinschaft", diejenigen zu melden, bei denen sich Verdächtiges zutrage. Untergetauchte Juden galten weiterhin als gefährlich, noch gefährlicher als Spione oder geflüchtete Zwangsarbeiter.

So war Julius Friede froh, dass die Kreuzberger ihm eine andere Familie nannten, die Eugen vielleicht bei sich aufnehmen würde. Diese Familie, die Horns, wohnte in einem Vorort, in Blankenburg, wo weniger

Kontrollen und Präsenz staatlicher Überwachungsorgane zu befürchten waren als im ehedem roten Arbeiterbezirk. „Die Horns waren eine Familie, die von Anfang an gegen Hitler war", erzählt Eugen Friede. Es waren Leute, die etwas gegen seine großmäulige, hetzerische Art hatten und all das Uniformierte, Gleichmacherische und Kulturfeindliche verachteten. Sie wohnten in einem Einfamilienhaus und betrieben ein kleines Lampengeschäft. Daher verfügten sie über gute Kontakte zu anderen Ladenbesitzern und Handwerkern. Man kannte sich, und so konnte Frau Horn, als sie Eugen aufgenommen hatten, auch problemlos vom Metzger und Bäcker immer etwas mehr bekommen, ohne dafür extra Lebensmittelmarken vorlegen zu müssen. Eugen begann, sich bei den Horns einzuleben und wohlzufühlen. Es wurde Frühling 1943, sodass der 16-Jährige sich tagsüber im Garten aufhalten konnte, und er machte sich nützlich für seine Gastgeber. Für ihr Geschäft reparierte er Lampen, lötete Kabel an und brachte Stecker an abgerissene Strippen an. So empfand er seine Zeit bei der Familie alles andere als beschwerlich oder gefährlich, vor allem weil sich auch seine Trennung von Helga durch einen ganz besonders angenehmen Umstand zu verflüchtigen begann: Die Horns hatten eine Tochter. Ruth war nicht nur hübsch und im selben Alter wie der neue Gast, sondern hatte auch ein Auge auf Eugen geworfen und begann mit ihm heftig zu flirten. „Das war unverkennbar vom ersten Tag an so", erinnert sich der alte Herr heute noch. Eugen verbrachte seine Nachmittage mit der 18-Jährigen, die er zudem oft und gerne fotografierte. „Es ging mir richtig gut, die Familie Horn hatte alle Lebensmittel, die man brauchte, keine Spur von Illegalität, es ging mir richtig gut, für eine kurze Zeit."

KAPITEL 3

DIE HELFER

Deutsches Reich

J

Kennkarte

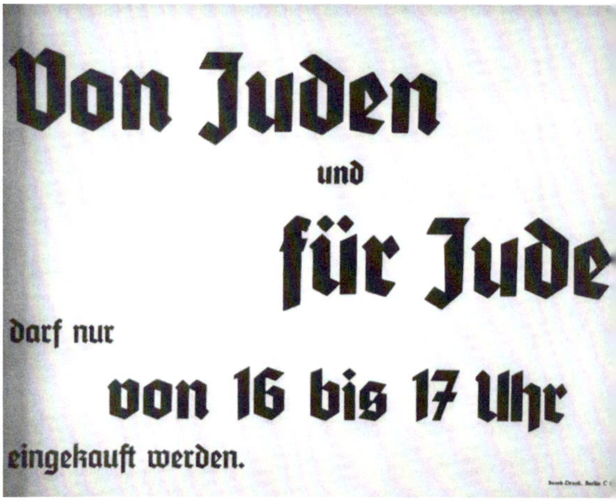

Von Juden
und
für Jude
darf nur
von 16 bis 17 Uhr
eingekauft werden.

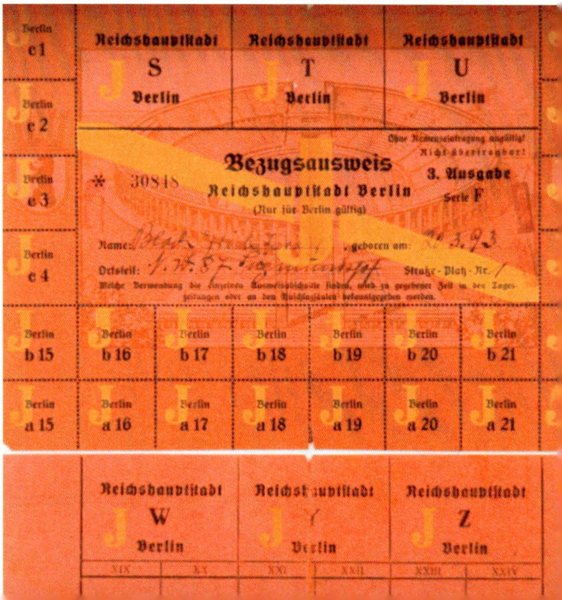

Berlin c 1	**Reichshauptstadt** J S Berlin	**Reichshauptstadt** J T Berlin	**Reichshauptstadt** J U Berlin			
Berlin c 2			Ohne Namenseintragung ungültig! Nicht übertragbar!			
Berlin c 3	∗ 30848	**Bezugsausweis** Reichshauptstadt Berlin (Nur für Berlin gültig)	3. Ausgabe Serie F			
Berlin c 4	Name:	geboren am:	Straße-Platz-Nr.:			
Berlin b 15	Berlin b 16	Berlin b 17	Berlin b 18	Berlin b 19	Berlin b 20	Berlin b 21
Berlin a 15	Berlin a 16	Berlin a 17	Berlin a 18	Berlin a 19	Berlin a 20	Berlin a 21
	Reichshauptstadt J W Berlin	**Reichshauptstadt** J Y Berlin	**Reichshauptstadt** J Z Berlin			
	XIX	XX	XXI	XXII	XXIII	XXIV

Cioma Schönhaus hatte bei Frau Schirrmacher ein Zimmer gefunden, das halbwegs sicher war. Zudem lag ihre Wohnung äußerst günstig. Zwischen Nollendorfplatz und Wittenbergplatz. Den Kurfürstendamm erreichte er zu Fuß bequem in wenigen Minuten. Doch die Offizierswitwe hatte nicht viel zu tun und war neugierig, daher schien es Cioma geboten, vom ersten Tag an jeglichen Argwohn zu zerstreuen. „Ich gaukelte ihr vor, dass ich, so lange ich noch nicht zum Militär einrücken musste, bei der AEG als technischer Zeichner tätig war. Immer zur Arbeit, um halb acht Uhr morgens, bin ich aus dem Haus. Auch konnte ich das Wohlwollen der Vermieterin gewinnen: Ich habe mein Bett selber gemacht, so als ob ich das von zu Hause aus gewöhnt gewesen wäre, und die Wirtin hatte also praktisch überhaupt keine Arbeit mit mir." Tagsüber hielt sich Cioma draußen auf. Unterwegs hielt er nach Kontakten und Möglichkeiten fürs Überleben Ausschau. Er war klug genug, um zu begreifen, dass es noch länger dauern würde mit Nazideutschland. Dass er sich in Berlin unsichtbar machen musste, irgendwie durchschlagen. Und dafür benötigte er Geld, Lebensmittelmarken und gute Personaldokumente. Cioma hatte für Edith Wolff Wehrmachtsentlassungspapiere für deren untergetauchten, jüdischen Freund Jitzak Schwersenz gefälscht. Die Arbeit war so überzeugend ausgefallen, dass Ewo, wie sie genannt wurde, Cioma mit weiteren Aufträgen versorgte, die er bei ihr in ihrer Wohnung am Berliner Kaiserdamm durchführte. Das berichtete Edith Wolff später.

S. 52: Hans Winkler und Eugen
S. 54 oben: Aufzüge Uniformierter gehörten zum Alltag im „Dritten Reich".
links: Der 1938 eingeführte „polizeiliche Inlandsausweis", die Kennkarte, wurde für Juden mit einem „J" versehen.
rechts: Juden erhielten extra Lebensmittelkarten, ihnen wurden wesentlich weniger Kalorien zugeteilt als der übrigen Bevölkerung, zudem durften sie nur in bestimmten Läden und zu bestimmten Zeiten einkaufen.

Detaillierte Berichte über Hilfen in der Illegalität fanden ihren Niederschlag in den Unterlagen staatlicher Versorgungsorgane, als Opfer des Nationalsozialismus ab 1957 Entschädigungsanträge zu stellen begannen. Um Nachweise über das erlittene Unrecht während des Nationalsozialismus zu erbringen, mussten sie Protokolle anfertigen und Zeugen benennen. So tauchten auch Namen weiterer Beteiligter auf, die ihrerseits um Auskunft gebeten wurden. Diese erst zehn Jahre nach dem Tod der Betroffenen einzusehenden Entschädigungsakten wurden viele Jahre später Teil umfassender Recherchen, die in zeitgeschichtliche Bücher und historische Aufarbeitungen einflossen.

Edith Wolff stand als privilegierter, sogenannter „jüdischer Mischling",
nicht im Fokus der Gestapo. Da Cioma sich beim Bearbeiten der Personaldokumente als außerordentlich gewissenhaft und handwerklich
geschickt erwies, stellte Ewo den 20-jährigen Grafiker einem älteren
Mann vor, der nicht weit vom Kurfürstendamm, in Halensee, in einer
gutbürgerlichen Villa lebte und von dort aus Hilfen für andere Untergetauchte organisierte. Dr. Franz Kaufmann war ein ehemaliger
Oberregierungsrat des Reichsrechnungshofes, wurde aber Anfang der
40er-Jahre wegen seiner jüdischen Herkunft und trotz seiner Ehe mit
einer christlichen Frau entlassen. Dr. Kaufmann, der zwar jüdische
Eltern hatte, aber von diesen christlich getauft worden war und im
Ersten Weltkrieg hohe militärische Auszeichnungen erhalten hatte,
engagierte sich in der evangelischen Kirche in Berlin. Er war Mitglied
der Bekennenden Kirche um Pastor Niemöller. Franz Kaufmann war
durch seine christliche Ehefrau zwar nicht von der Deportation bedroht,
doch man hatte den Akademiker über Jahre gedemütigt. So wurde der
einstige Oberregierungsrat des Rechnungshofes für Reparaturarbei-
ten von deformierten Feldflaschen eingesetzt. Seine späteren Gestapo-
Vernehmer notierten bei ihm unter Berufsangabe: Franz Kaufmann,
Oberregierungsrat, umgeschult zum Hilfsarbeiter.

Mit Einsetzen der Deportationen begann Dr. Kaufmann über ver-
schiedene Kontakte und Quellen Kennkarten und Lebensmittelmarken
zu beschaffen und versorgte damit untergetauchte Juden in Berlin. Die
Gruppe um Kaufmann leistete eine der bemerkenswertesten Hilfen
in der Geschichte des Widerstands. Dabei spielte eine weitere junge
Frau eine wichtige Rolle: Helene Jacobs, geboren 1906. Sie war seit ihrer
Gründung 1934 bei der Bekennenden Kirche aktiv und half Kaufmann
dabei, Ausweispapiere zu beschaffen. Ihr gelang es, in der Gemeinde
in Berlin-Dahlem wahre Christen dafür zu bewegen, ihre eigenen, also
echten Personaldokumente, in den Opferstock zu werfen. Auf diese
Weise kamen Ausweispapiere zusammen, die Helene Jacobs anschließend unbeobachtet aus dem Opferstock nahm und zu Kaufmann nach
Halensee brachte. Cioma Schönhaus erinnert sich, wie furchtlos und
geschickt sie dabei vorging. Helene Jacobs hatte andere Gläubige ver-
traulich darin eingeweiht, sie davon überzeugt, dass ihre „Spenden"
für untergetauchte Juden lebenswichtig seien. Alles sei willkommen,
Kennkarten, Postausweise, Werkspapiere – amtliche Personalpapiere,
die sich unauffällig im Opferstock nach dem Kirchenbesuch einwerfen

ließen. Und tatsächlich fanden sich darin von beherzten Christen eigene, anschließend als verloren gemeldete Personalausweise. Die Gestapo, die glücklicherweise keine guten Drähte in die Gemeinde hatte, bekam davon nichts mit. Für Helene Jacobs war so lediglich der Moment des Herausnehmens gefährlich, dabei musste sie aufpassen, dass sie niemand beobachtete. So landeten die Papiere bei Kaufmann, der nun durch Edith Wolff den jungen Grafiker vorgestellt bekam. Schönhaus erinnert sich, wie Dr. Kaufmann ihn bei ihrer ersten Begegnung fragte, wo er sein Handwerk gelernt hätte und ob er sich darüber im Klaren sei, dass er niemandem davon erzählen dürfe. Kaufmann machte dem 20-Jährigen klar, dass diese echten Papiere, die nun mit neuen Fotos von untergetauchten jüdischen Bürgern abgeändert werden müssten, von großem Wert waren. Er selbst bot Cioma für seine Dienste allerdings kein Bargeld an, wie mir Cioma Schönhaus im Interview versichert. Dafür gab er ihm etwas, was für ihn mindestens denselben Wert hatte: Pro gefälschtem Ausweis einen Satz Lebensmittelmarken. Nachdem Schönhaus eine Probe zur Zufriedenheit von Kaufmann erledigt hatte, kam es zu einer regelmäßigen Zusammenarbeit. Immer freitags erschien Cioma nun in der Villa am Halensee, um sich dort eine „neue Portion Kennkarten abzuholen", wie Schönhaus es beschreibt. Helene Jacobs und Edith Wolff, die beide den Krieg überlebten, bestätigten später die abenteuerliche Zusammenarbeit. Dr. Kaufmanns Hilfsbüro wirkte wie ein Notariat oder eine Anwaltskanzlei: „Es gab sogar eine Art Warteraum für untergetauchte Hilfesuchende. Da saßen die Leute in ihren Mänteln, bis sie von Kaufmann empfangen wurden. Mich durften die Hilfesuchenden natürlich nicht zu Gesicht bekommen, da hat der Dr. Kaufmann immer drauf geachtet." Niemand, der mit einem von ihm bearbeiteten Dokument erwischt werden würde, sollte in der Lage sein – auch nicht unter der Folter – Cioma als den Fälscher zu benennen. Dennoch sah er ein paarmal im Vorbeigehen andere Hilfesuchenden in Kaufmanns Wartezimmer. Cioma erinnerte sich an eine kuriose Geschichte: „Ja, da war eine jüdische Frau Kommerzienrat, die sich beschwerte, dass bei ihr (in der von Cioma gefälschten Kennkarte) als Berufsangabe stand: ‚Hilfszimmermädchen' – Dr. Kaufmann, schauen Sie mich doch an: Sehe ich aus wie ein Hilfszimmermädchen?" Doch die wenig passende Berufsbezeichnung in der Original-Kennkarte rettete der echauffierten Dame später das Leben. Die Jüdin kam mit dem gefälschten Ausweis in eine Kontrolle. Dabei stieß einem der beiden

Gestapo-Kontrolleure ein Detail am Dokument auf, sodass er die ältere Frau mit zur nächsten Dienststelle nehmen wollte. Worauf sein Kollege den Ausweis erneut anschaute, die Berufsangabe las und sagte: „Mensch schau mal, ist doch nur ein Hilfszimmermädchen, lassen wir doch die olle Henne laufen." Cioma Schönhaus lacht, als er die Anekdote erzählt. Doch ihm schwante, wie riskant es war, was Kaufmann mit seiner Hilfe im vornehmen Westen betrieb: So gönnte sich der junge Fälscher, bevor er freitags seine Arbeit bei Kaufmann abgab, immer ein kräftiges Essen: „Ich weiß noch, dass ich, bevor ich zu ihm ging, in einer Kneipe ein Bauernfrühstück bestellt habe. Das ist heute noch mein Lieblingsessen. Hab mir immer vorgestellt: Wenn sie dich schnappen und fragen: Was hätten sie gerne als Henkersmahlzeit, dann würde ich ein Bauernfrühstück bestellen."

Niemand, der mit einem von ihm bearbeiteten Dokument erwischt werden würde, sollte in der Lage sein – auch nicht unter der Folter – Cioma als den Fälscher zu benennen.

Cioma wäre zu anderen Zeiten oder anderen Ortes ein guter Geheimdienstagent gewesen. Einer, dem man Aufträge anvertraut hätte, die Nerven, Geschick, aber auch ein Schauspieltalent verlangt hätten. Der 20-Jährige konnte sich blitzschnell in sein Gegenüber einfühlen. Er antizipierte, wie er auftreten musste, um unverdächtig und harmlos zu erscheinen. Dies war, wie fast alle damals untergetauchten Juden später berichteten, unabdingbar für das Überleben: Man musste über die Gabe verfügen, sich nicht nur verstellen zu können, sondern dabei unbekümmert und vollkommen arglos zu wirken. Einer fremden Person so selbstverständlich wie möglich eine erfundene, aber in sich stimmige Geschichte auftischen. Und dabei sympathisch erscheinen. Wie jemand, der eben auch zur „Volksgemeinschaft" gehörte und nicht zu den durch die Rassenideologie der Nazis Ausgegrenzten, zu den Juden, Roma und Sinti oder auch den Homosexuellen. Ruth Gumpel berichtet, dass sie und ihre Freundin Ellen Lewinsky sich darüber amüsierten, wenn sie jemand erfolgreich etwas vorgespielt hatten. Und dass es ihnen half, dies alles durchzustehen. Diese Nervenstärke, jemanden etwas vorzumachen und dabei so natürlich wie nur möglich zu wirken, verursachte bisweilen ein Erfolgserlebnis, ein Glücksgefühl, einen Adrenalinschub: Man hatte die Gegner, die Kontrolleure und Denunzianten, die tumben Trottel der Nazis, die führergläubigen Volksgenossen und einfältigen Jasager überlistet. „Es hat mir enormen Spaß gemacht – es war Adrenalin pur, ich war wie high. Mir hat später nie wieder eine Arbeit so Spaß gemacht", so beschreibt Cioma noch 70 Jahre später sein Gefühl, als er in der Illegalität unter Lebensgefahr Ausweispapiere fälschte. Cioma erkannte, dass an Orten, wo niemand vermutete, dass sich dort jüdische Untergetauchte hineinwagen würden, das Risiko, erwischt zu werden, vielfach geringer war als an belebten Orten. Zum Beispiel in einem gut besuchten und beheiztem U-Bahnhof. Oder in einer der Bierkneipen in Kreuzberg oder Neukölln oder Mitte, wo man leicht Kontakte zu Schwarzhändlern oder anderen Personen knüpfen konnte, die einem etwas beschaffen konnten. Aber genau hier tauchten regelmäßig auch Kontrolleure von Gestapo, Polizei und die Feldjäger auf, die nach fahnenflüchtigen Soldaten suchten. Cioma Schönhaus war durch sein riskantes und gekonntes Fälschen von Ausweisen in einer recht privilegierten Situation. Durch den Weiterverkauf der ihm von Kaufmann als Lohn übergebenen Lebensmittelmarken hatte der junge Grafiker eine Menge Geld zur Verfügung. Um damit etwas anfangen zu können, musste er dorthin, wo man für Reichsmark ohne staatliche Bezugsscheine noch etwas kaufen konnte. Cioma beschreibt uns, wie er regelmäßig die gehobenen Hotel-Restaurants am Kurfürstendamm ansteuerte. Wie er im *Kempinski,* aber auch im *Hotel Esplanade* am Rande des Tiergartens einkehrte. „Dort gab es im Krieg noch was Ordentliches zu essen." Das *Esplanade* war einer der vornehmsten Orte. „Ich komme da rein, und dann schiebt der Kellner mir schon den Stuhl unter den Hintern. Da sitzt ein Mann mit am Tisch, der beachtet mich nicht und liest Zeitung und krümelt sein Knäckebrot. Dann geht er, und der Ober fragt mich: Ist der Herr Generaldirektor schon gegangen? Das war so der Stil, wie ich da zu Mittag gegessen habe." Das erzählt Cioma, als er schon fast 90 Jahre alt ist. Er setzte darauf, dass ein Gestapo-Kontrolleur sich nur, wenn er sicher sein konnte, hier einen Flüchtigen anzutreffen, hineingewagt hätte. Die hier tafelnden Bessergestellten behelligten auch Polizei oder Feldjäger nur, wenn sie einem dringenden Verdacht nachgingen. Dies begriff Cioma und schmunzelt noch Jahrzehnte später über seine Chuzpe, mit der er dies für sich zu nutzen verstand.

Zur selben Zeit am selben Ort – im *Esplanade* – war damals ein anderer jüdischer Berliner als Servierkellner angestellt. Ebenfalls mit gefälschten Papieren: Charles Blumenthal, nur wenige Jahre älter als Cioma; 1918 geboren. Da seine Eltern aus dem weit entfernten Königsberg stammten, gelang es Blumenthals Bruder kurz nach Kriegsausbruch, dort bei den Behörden die eigene Abstammung zu manipulieren, sodass er und sein Bruder als Halbjuden galten und damit von den Deportationen verschont blieben. Als „Mischling" erklärten die Nazis Blumenthal zudem als unwürdig für die deutsche Wehrmacht, sodass er in Berlin bleiben durfte und im *Esplanade* als Kellner arbeitete.

Blumenthal erinnert sich in einem Recherchegespräch mit uns, dass er hier neben Militärs vor allem Industrielle bediente. Er servierte so bekannten Männern wie Hugo Stinnes, Fritz Thyssen und Alfred Krupp, die sich um Wehmachtsaufträge bemühten. Bevor Blumenthal mit frisierter Abstammungsakte ins Luxushotel wechselte, war er Etagendiener in der Pension Bernhard. Die Herberge lag am Olivaer Platz auf der Rückseite des Kurfürstendamms. Es war ein Haus, das überwiegend von jüdischen Gästen aufgesucht wurde; die Gegend rund um den Kurfürstendamm war bis zur Machtergreifung eines der Zentren jüdischen Lebens gewesen. Ab Kriegsbeginn, so erzählt er, wurde es zu einem Zufluchtsort für Juden aus ganz Deutschland, die in den in der Nähe liegenden ausländischen Konsulaten versuchten, irgendwie an Ausreisepapiere zu kommen. Er hat nie vergessen, wie er eines Morgens das Zimmer einer wohlhabenden älteren Dame öffnete, um dort aufzuräumen und sofort sah, dass die Bewohnerin seltsam reglos im Bett lag. Süß bitterer Geruch stieg ihm in die Nase, er riss sofort die Fenster auf, doch für die Frau kam jede Hilfe zu spät. Sie hatte sich das Leben genommen, nachdem sie über Tage vergeblich versucht hatte, ein Visum zu erhalten. Es blieb nicht der einzige Selbstmord eines jüdischen Gastes, denn immer häufiger kursierten im Haus Gerüchte über das Grauen, das sich im Osten abspiele, dass die Deportierten gleich nach der Ankunft erschossen würden. Dies aber schien so ungeheuerlich, dass viele von Blumenthals Kollegen sich weigerten, das zu glauben.

S. 61: In der zum Sammellager umgebauten Synagoge in der Berliner Levetzowstraße

Berichte über Massenhinrichtungen im von Deutschen besetzten Polen drangen durchaus bis nach Berlin. Oft waren es Wehrmachtssoldaten oder SS-Angehörige, die an Erschießungen beteiligt waren, und die nun ihrerseits diese Bilder nicht loswurden – nicht selten darüber betrunken auf Heimaturlaub erzählten. Die SS nannte diese Liquidierungen „ethnische Flurbereinigungen".

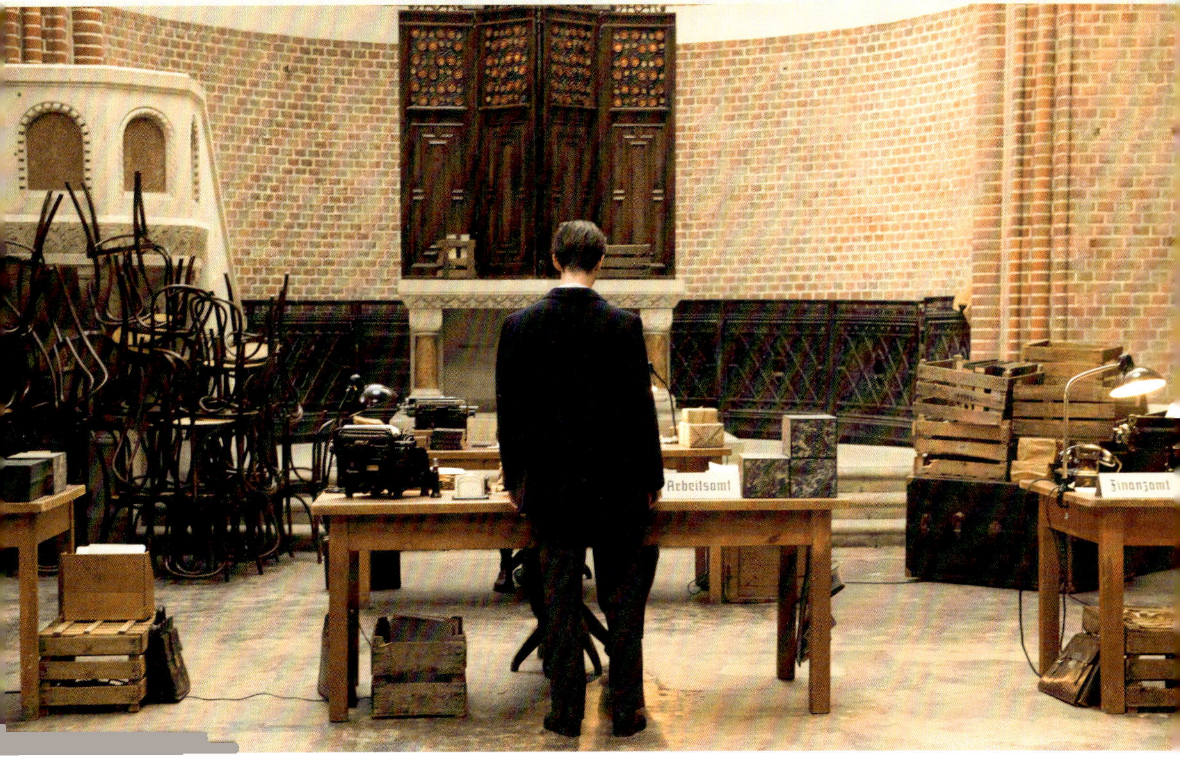
Arbeitsamt
Finanzamt

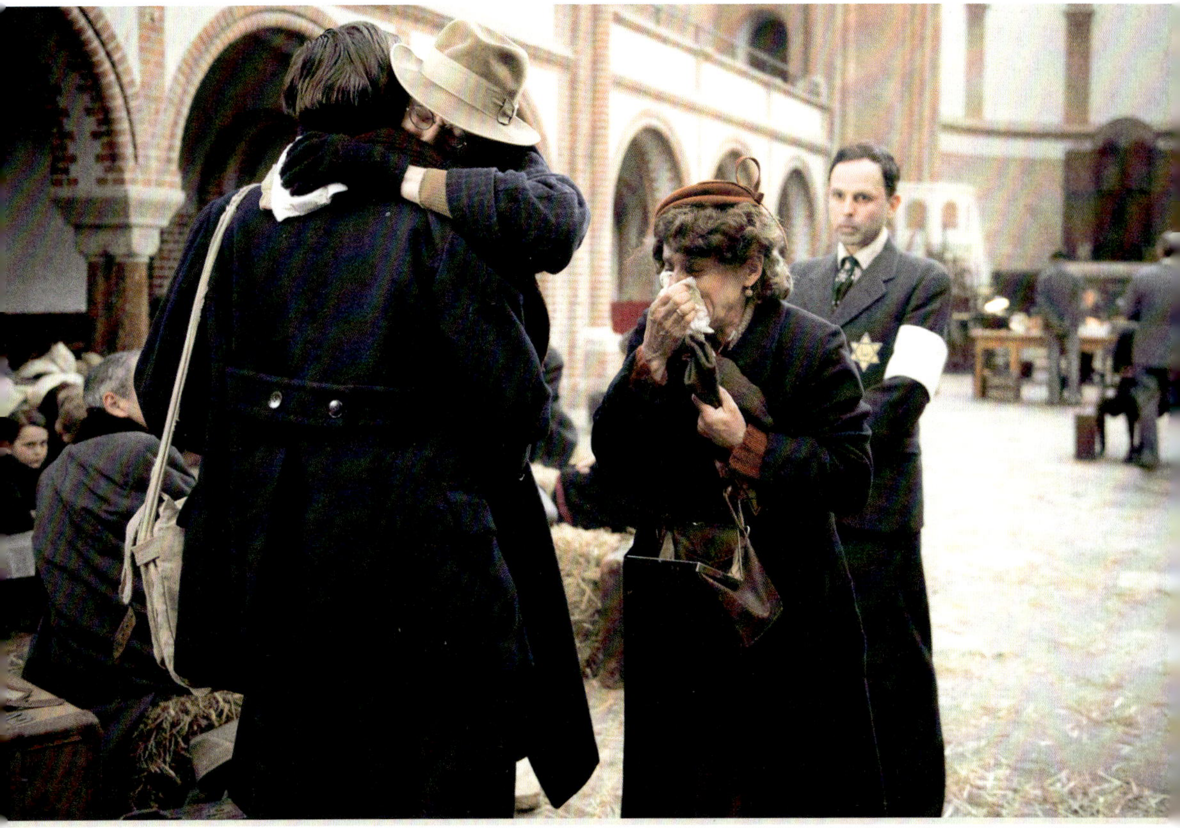

Blumenthal berichtet von weiteren Orten in der Stadt, an denen sich nach Beginn der Deportationen Illegale aufhielten. So gab es in der Pariser Straße in Wilmersdorf eine Jazzbar, die von einem gewissen Herrn Arndt betrieben und auch von höheren SS-Angehörigen aufgesucht wurde. Diese Männer – die Elite des NS-Regimes – trieb es hierher, weil man im Lokal Wertvolles aus jüdischem Eigentum günstig angeboten bekam. Gold und Schmuck, Kunst und Pelze. Es wurde von untergetauchten Juden zu einem Bruchteil des Wertes angeboten, um zu Geld zu kommen. Oder um Bestechungsgelder zahlen zu können für versprochene Hilfsleistungen, die jedoch oft genug nicht erbracht wurden. Alle, die hier kauften, profitierten schamlos von der rechtlosen Situation der Verkäufer. Im Salon Kitty in der nahegelegenen Giesebrechtstraße, einem von den Nazis zu Spionagezwecken etablierten Etablissement, verkehrten die Profiteure der gewaltigen Ausplünderung jüdischer Vermögen auf der Suche nach weiteren Einnahmequellen. Hier war der Berliner Polizeipräsident, Wolf-Heinrich Graf Helldorff, ein gern gesehener Gast. Helldorff führte ein sehr aufwendiges Leben, das sich nur aus den Bezügen seiner Position nicht bestreiten ließ. Er fuhr ein amerikanisches Acht-Zylinder-Cabriolet, lebte in einem Haus, das einer anderen Einkommensklasse vorbehalten war, und verprasste Unsummen beim Kartenspiel oder bei Pferdewetten, wo er regelmäßig mit wechselnden Begleiterinnen angetroffen wurde. Helldorff hatte wohlhabenden Berliner Juden seine Bereitschaft signalisiert, ihnen einen Pass gegen eine hohe Bestechungssumme zu beschaffen. Nach der Zahlung verpuffte sein Angebot, oft gab er anschließend der Gestapo einen Tipp, um sich der Betrogenen zu entledigen. Von solchen Zahlungen wusste man im Berlin der frühen 40er-Jahre, man nannte sie sarkastisch die Helldorff-Abgabe. Offenbar lebte der Polizeipräsident derart über seine Verhältnisse, dass er sich auch mehrfach Darlehen aus dem NS-Parteivermögen beschaffen musste, um einer drohenden Insolvenz zu entgehen. Es wirft ein bezeichnendes Licht auf die Spitzen der Gesellschaft des NS-Staates, wenn deren Mitglieder – eigentlich Vertreter von Recht und Ordnung – in zutiefst kriminelle Dinge verstrickt waren. Im Salon Kitty, dem Spionage-Etablissement des Regimes, überlebte überdies auch eine Jüdin. Rosalinde Janson wurde von der Salonbetreiberin Kitty Schmidt unter dem Namen Hedwig Schäfer als Servier- und Küchenmädchen eingesetzt. In einer Schlangengrube, einem Ort von Verrat und Niedertracht in einer Welt, die kaum noch

Hoffnung bereithielt für ein paar Tausend Menschen, die in ihrer eigenen Stadt untergetaucht waren.

So kam es zu der bizarren Situation, dass ein mit manipulierten Papieren als Servierkellner im vornehmen *Esplanade* tätiger Jude einem anderen untergetauchten jüdischen Gleichaltrigen, einem Jungen aus dem Scheunenviertel, der als Passfälscher tätig war, möglicherweise den Stuhl zurechtgeschoben hat, ohne dass der eine von der gefährdeten Existenz des anderen etwas bemerkte.

Nachdem Ellen und Ruth bereits mehrere Monate an wechselnden Orten überlebt hatten, kam Ellen auf die Idee, Schleier für sie zu schneidern. Als sie dies Ruth zeigte, glaubte die Freundin zunächst, Ellen sei verrückt geworden. Doch Ellen hatte eine clevere Idee: Mit den Schleiern an ihren Hüten wären ihre Gesichter schwerer zu erkennen. Zudem würde die Kostümierung helfen, Kontrollen zu vermeiden, denn zu der Zeit, 1943 im Frühjahr, wuchs die Zahl der oft sehr jungen Kriegerwitwen.

Der Vernichtungskrieg forderte einen immer höheren Preis: In Stalingrad war im Februar 1943 eine ganzen Armee der deutschen Wehrmacht untergangen. Von den 230.000 Soldaten der 6. Armee fielen etwa 60.000, etwas mehr als 100.000 gingen in sowjetische Gefangenschaft – nur 6000 von ihnen kehrten nach Ende des Krieges zurück. Vier Tage nach der Kapitulation von Stalingrad wurde die Niederlage im großdeutschen Rundfunk eingestanden. Das öffentliche Verschweigen des Verlustes einer ganzen Armee hätte dem Regime ein nicht wiederherzustellendes Glaubwürdigkeitsproblem beschert. Die Verantwortlichen beschlossen daher, dies als Auftakt für den kurz danach propagierten totalen Krieg zu nutzen, die Bevölkerung auf härteste Opfer und Entbehrungen einzuschwören. Das Stalingrad-Eingeständnis wurde mit einer dreitägigen Staatstrauer eröffnet. Während dieser Zeit durften nur Trauermärsche im Radio gespielt werden. Die Bevölkerung begann sich auf eine mögliche Niederlage einzustellen, die untergetauchten Juden schöpften Hoffnung. Es war *die* psychologische Wende in Deutschland, auch wenn Hitler noch mehr als zwei Jahre weiterkämpfen ließ.

In dieser von kurzer Erschütterung des NS-Regimes geprägten Phase wirkte das Schleiertragen nicht nur als Zeichen der Trauer, sondern als stummer Aufschrei gegen den Krieg. Die Menschen spürten, dass sich die Niederlage von 1918 zu wiederholen schien. Die Zahlen der gefallenen, vor allem der ganz jungen Kriegsteilnehmer stiegen dramatisch an. Dies nutzten Ruth und Ellen. Sie tarnten sich als junge Kriegerwitwen. Das schützte sie und verschaffte ihnen mehr Bewegungsfreiheit. Sie trauten sich nun sogar ins Kino. Lichtspielhäuser waren gern aufgesuchte Orte der Untergetauchten. Ein Kinobesuch bedeutete zwei Stunden Aufenthalt in einem geheizten Raum. Entspannen im Dunkeln. Und bisweilen konnten sie sogar für die Länge eines Films ihre trostlose Lage vergessen, nachdem sie die Wochenschau mit ihren Führerhuldigungen und Kriegsberichten ertragen hatten. Außerdem konnte man ganz gut fehlenden Schlaf nachholen. Als sich Mrs. Gumpel 70 Jahre später daran erinnert, schmunzelte sie noch in Gedanken daran, wie gleichaltrige Soldaten zu ihnen hinüber schauten und wohl dachten ‚So junge Frauen und schon Witwen'.

Draußen am Stadtrand, bei Familie Horn, hatte Eugen indes Glück, dass er – zunächst – vom harten Leben im Verborgenen nichts mitbekam. Zu seinem 17. Geburtstag, am 23. April 1943, besuchte ihn sogar sein Vater und freute sich bei Kaffee und Kuchen, so ein gutes Versteck für seinen Stiefsohn gefunden zu haben. Mit an der Tafel, die im Garten der Familie angerichtet war, eine Freundin der Familie. Eine Frau, an deren Namen sich Eugen später nicht erinnern konnte, wohl aber, dass sie bis Anfang 1933 für die Kommunistische Partei im Reichstag saß. Die Geburtstagsrunde wurde ergänzt durch Ruth Horn, die 18-jährige Tochter, die mit Eugen bereits eine Liaison begonnen hatte, und weitere Verwandte der Familie, Onkel Willi und Tante Grete. Gemeinsam stimmten sie auf Eugen ein Geburtstagslied an und genossen den sonnigen Frühlingstag. Dabei nahm Herr Horn, wie sich Eugen erinnert, fast schon leichtsinnig defätistische Bemerkungen über den Führer und sein sich wendendes Schlachtenglück in den Mund. Vor allem erregte er sich über Propagandaminister Joseph Goebbels, der einige Wochen zuvor in seiner Rede im Sportpalast vor 10.000 linientreuen Anhängern des NS-Regimes den totalen Krieg ausgerufen hatte. Die Horns begriffen, dass die Nazis sich auf einen Verteidigungskrieg einrichteten, wie es ihn so noch nicht gegeben hatte. Dabei nahm Hitler seine ihm zujubelnde Volksgemeinschaft in die Haftung: Das Regime propagierte nach der Niederlage von Stalingrad seinen Krieg als eine rassisch, ethnischen Entscheidungsschlacht über den Fortbestand des deutschen Volkes. Parallel wurde die sogenannte Endlösung der Judenfrage forciert. Während die Wehrmacht an allen Fronten in die Defensive geriet, liefen die Verhaftung der Juden in ganz Europa und ihr Transport in die Vernichtungslager auf Hochtouren. Eine logistische Organisation, deren Ungeheuerlichkeit noch heute kaum zu begreifen ist. Abgesehen von der unfassbaren Grausamkeit dieses Vorgehens, entzog das NS-Regime sich damit aller Optionen im Falle der sich ab Frühjahr 1943 abzeichnenden Niederlage. Niemand würde mit einem Regime, das sich solcher Verbrechen schuldig gemacht hatte, in irgendeine Verhandlung eintreten. Aber dies wollte Hitler auch nicht. Dennoch taucht immer wieder die Frage auf, warum sich die Radikalität des Völkermordes noch im Schlussakt der NS-Schreckensherrschaft steigern ließ. Wie konnte es geschehen, dass sich derart viele Volksgenossen und auch Wehrmachtsangehörige an dem organisierten Massenmord beteiligten, ihn damit möglich machten – während die Aussicht dafür zur Rechenschaft gezogen zu werden, immer deutlicher wurde? Es bleibt eine völlig unverständliche Dimension des Rassismus, des willentlichen Bruchs mit bis dahin mühsam errungenen zivilisatorischen Vereinbarungen.

Aber nur wenige Leute, wie die Horns, empörte dies so sehr, dass sie sich trauten, trotz drakonischer Strafen, die bei regimekritischen Bemerkungen drohten, ihrer Wut Luft zu verschaffen. So saßen sie bei sonnigem Wetter im Garten. Eugen mit seinem Vater, die Horns, deren Tochter, eine ehemalige kommunistische Reichstagsabgeordnete, Onkel Willi und Tante Grete, während Herr Horn auf den Propagandaminister schimpfte. Und alle hofften, dass es nicht ganz so schlimm kommen werde. Vor allem aber, dass es bald vorbei sein würde. Eugen fotografierte die Szenerie im Garten zu seinem Geburtstag in der Illegalität. Ein Bild, das nichts von den Schrecken verrät, derentwegen der 17-Jährige seinen Geburtstag hier verbringen musste. „Es ging mir richtig gut, keine Spur von Illegalität, es ging mir richtig gut! Für eine kurze Zeit..."

KAPITEL 4

ERZWUNGENER VERRAT

WIE DIE GESTAPO IHRE JAGD AUF UNTERGETAUCHTE ORGANISIERTE

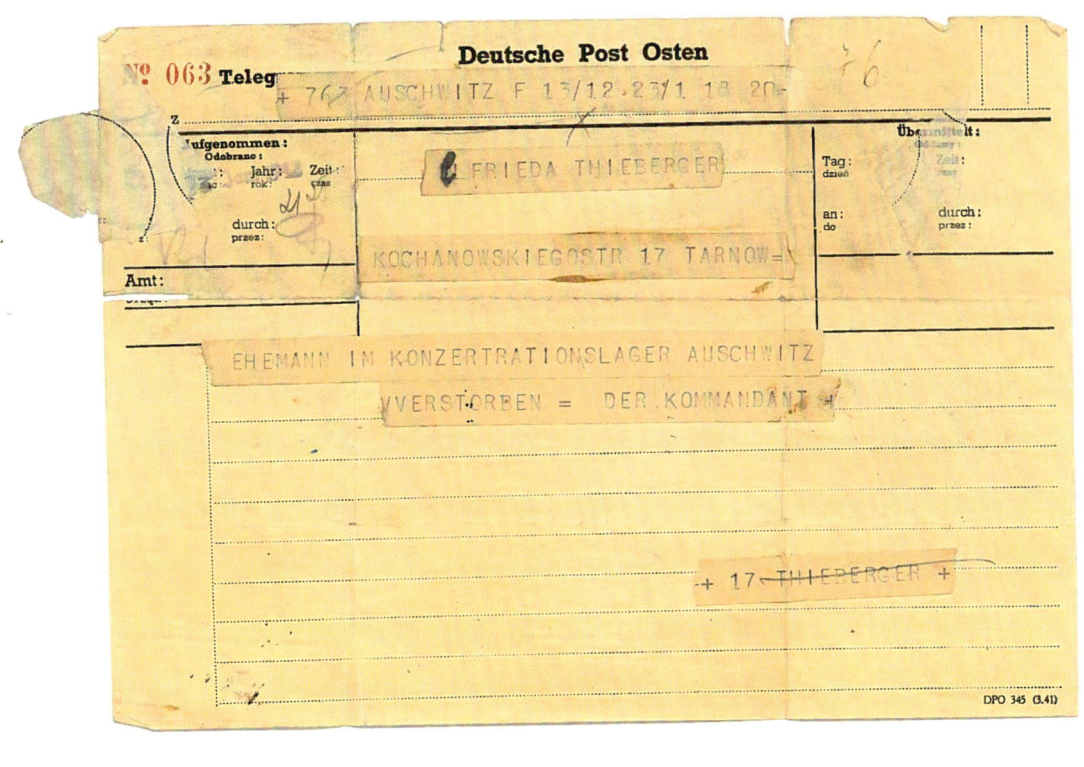

Deutsche Post Osten

Nᵒ 063 Teleg

+ 762 AUSCHWITZ F 13/12 23/1 18 20-

z

Aufgenommen:
Odebrano:

Jahr: Zeit:
rok: czas:

durch:
prezz:

Amt:

Übermittelt:

Tag: Zeit:
dzień:

an: durch:
do prezz:

C FRIEDA THIEBERGER

KOCHANOWSKIEGOSTR 17 TARNOW=

EHEMANN IM KONZERTRATIONSLAGER AUSCHWITZ

VVERSTORBEN = DER KOMMANDANT +

+ 17 THIEBERGER +

DPO 345 (3.41)

Konzentrationslager Auschwitz

Folgende Anordnungen sind beim Schriftverkehr mit Gefangenen zu beachten:

1.) Jeder Schutzhaftgefangene darf im Monat zwei Briefe oder zwei Karten von seinen Angehörigen empfangen und an sie absenden. Die Briefe an die Gefangenen müssen gut lesbar mit Tinte geschrieben sein und dürfen nur 15 Zeilen auf einer Seite enthalten. Gestattet ist nur ein Briefbogen normaler Größe. Briefumschläge müssen ungefüttert sein. In einem Briefe dürfen nur 5 Briefmarken à 12 Pfg. beigelegt werden. Alles andere ist verboten und unterliegt der Beschlagnahme. Postkarten haben 10 Zeilen. Lichtbilder dürfen als Postkarten nicht verwendet werden.

2.) Geldsendungen sind gestattet.

3.) Es ist darauf zu achten, daß bei Geld- oder Postsendungen die genaue Adresse, bestehend aus: Name, Geburtsdatum, und Gefangenen-Nummer, auf die Sendungen zu schreiben ist. Ist die Adresse fehlerhaft, geht die Post an den Absender zurück oder wird vernichtet.

4.) Zeitungen sind gestattet, dürfen aber nur durch die Poststelle des K. L. Auschwitz bestellt werden.

5.) Pakete dürfen nicht geschickt werden, da die Gefangenen im Lager alles kaufen können.

6.) Entlassungsgesuche aus der Schutzhaft an die Lagerleitung sind zwecklos.

7.) Sprecherlaubnis und Besuche von Gefangenen im Konzentrations-Lager sind grundsätzlich nicht gestattet.

Der Lagerkommandant.

Meine Anschrift: Schutzhäftling Ju

Name: Thieberger Kurt

geboren am: 18.8.1907 K.L. Ausch

Gef.-Nr. 25130 Block 11 Postan

Auschwitz, den 1.1.1942

Zu der Zeit hatte die Gestapo bereits begonnen, die Jagd auf untergetauchte Juden voranzutreiben. Dabei ersann sie immer niederträchtigere Methoden. Nach der Massenverhaftung der jüdischen Zwangsarbeiter am 27. Februar 1943, die als Fabrikaktion bezeichnet wurde, kam es zur Schließung der großen Synagoge in Moabit als Sammelstelle. An ihre Stelle trat das ehemalige jüdische Altenheim in der Großen Hamburger Straße, das zum Gefängnis umgebaut wurde. Dorthin brachten Polizei und Gestapo gefangen genommene Juden. Sie blieben dort so lange, bis genügend Menschen für einen Transport nach Auschwitz oder Theresienstadt zusammengetrieben waren. Leiter dieser Gestapo-Sammelstelle, die Teil des berüchtigten Judenreferates von Adolf Eichmann war, wurde ab Februar 1943 SS-Hauptscharführer Walter Dobberke. Ein bulliger Mann, geboren 1906, berüchtigt wegen seiner brutalen Verhörmethoden. Dobberke und seine aus einem halben Dutzend Gestapo-Männern bestehende Gefolgschaft merkten schnell, dass die meisten Gefangenen trotz brutaler Verhöre und Folter nichts über Helfer und Familienangehörige preisgaben, denn sie wussten, dass die Transporte nach Auschwitz gingen, und wussten inzwischen auch, dass der Tod sie dort erwartete. Vor diesem Schicksal wollten sie ihre Frauen und Kinder, Geschwister und Eltern bewahren. Deshalb ging die Gestapo dazu über, aufgegriffenen jüdischen Berlinern anzubieten, dass sie „nur" nach Theresienstadt deportiert würden, wenn sie den Fahndern den Aufenthaltsort weiterer Flüchtiger nennen. Theresienstadt war zwar auch ein Konzentrationslager, stand aber im Ruf, kein Vernichtungslager zu sein. Dort sei die Arbeit zwar auch hart, aber man hätte eine reale Chance zu überleben, hieß es. Als sich jedoch herumsprach, dass die so auf Milde Hoffenden oft getäuscht und trotzdem auf den Listen der Auschwitz-Transporte landeten, kam Walter Dobberke auf die perfide Idee, im Untergrund gefassten Juden das Angebot zu machen, sie selbst und auch einige ihrer nächsten Angehörigen unbehelligt zu lassen, wenn sie mit der Gestapo bei der Suche nach anderen Illegalen kooperierten. Die allermeisten lehnten es rundweg ab, ihre draußen noch unerkannt ums Überleben kämpfenden Leidensgenossen zu verraten. Doch etwa 30

S. 66: Stella Goldschlag
S. 68 oben: Ein Telegramm aus Auschwitz, in dem der Ehefrau lapidar der Tod ihres Mannes mitgeteilt wurde.
unten: Nachrichten aus Auschwitz. Solange man noch Post bekam, gab es Hoffnung.

Berliner Juden willigten ein. Sie hofften, so zumindest ihr eigenes Leben retten zu können. Es ist eines der sensibelsten Kapitel des Holocaust.

Die allermeisten lehnten es rundweg ab, ihre draußen noch unerkannt ums Überleben kämpfenden Leidensgenossen zu verraten.

Diejenigen, die nun für die Gestapo auf die Jagd gingen, erhielten einen mit einem Lichtbild versehenen grünen Ausweis. Darauf stand auch der Name ihrer Gestapo-Hilfsabteilung: „Jüdischer Fahndungsdienst". Die jüdischen Fahnder konnten sich mit diesem Ausweis frei und natürlich ohne Judenstern in der Stadt bewegen. Zudem besagte das Dokument, dass der Inhaber zur Festnahme flüchtiger Juden berechtigt sei, und die Polizei zur Unterstützung der jüdischen Fahndungskräfte verpflichtet. Nachdem es wiederholt zu Widerständen bei Verhaftungen durch den sogenannten Fahndungsdienst gekommen war, erhielten sie außerdem die Erlaubnis, Schusswaffen zu tragen. Haupteinsatzgebiet der zur Ko-operation gedungenen, selbst einmal aufgegriffenen Illegalen waren die Orte, von denen sie aus eigener Erfahrung wussten, dass sich dort Unter-getauchte aufhielten: U-Bahnstationen, Haupteinkaufstraßen, Parkan-lagen, bestimmte Cafés und Restaurants sowie Theater, Konzertstätten und immer wieder Kinos.

Stella Goldschlag, eine der jüdischen Fahnder, hat es zu schauriger Bekanntheit gebracht. Der deutsch-amerikanische Autor Peter Wyden, der mit ihr zur Schule gegangen war und sie viele Jahre nach dem Krieg erneut traf, beschrieb sie und ihre abgründige Geschichte in seinem Buch „Stella", und 2016 verarbeitete die Neuköllner Oper in Berlin diesen Stoff sogar für ein Musical.

Cioma Schönhaus, der Stella Goldschlag ebenfalls kannte, lacht auf, als ich ihn im Interview nach ihr frage, Erinnerungen waren sofort wieder da. An eine „Marilyn Monroe jener Zeit", so versucht er sie zu beschrei-ben. Sie war offenbar eine junge Frau von ungewöhnlicher Schönheit, die bereits als Teenager einen großen Eindruck auf Männer machte. Cioma erinnert sich, dass sie in der privaten Kunstgewerbeschule, in der sie eine Ausbildung als Modezeichnerin absolvierte, stets einen großen Kreis von Verehrern um sich hatte. Stella war die Tochter des jüdischen Musikers und Dirigenten eines Varieté-Orchesters, Gerhard Goldschlag, und seiner Frau, der Sängerin Antonie. Das in Charlottenburg geborene einzige Kind des Künstlerpaares hatte sich wie so viele ihrer jüdischen Weggefährten bereits ab Mitte der 30er-Jahre mit ihren Eltern um eine Ausreise bemüht. Die Familie wollte in die USA, wo Gerhard Goldschlag für seine hübsche Tochter große Pläne hatte. Sie sollte, nachdem sie die Sprache gelernt hätte, Musicalstar am Broadway werden. Stella war nicht nur hübsch, sondern sie hatte auch das gewisse Etwas, wie sich Cioma ausdrückt. Überdies dachte niemand, der sie sah, dass sie Jüdin sei. Sie hatte goldblondes, leicht gewelltes Haar und blaue Augen, sah aus wie ein arisches Filmstarlet, das sich Hoffnungen auf Rollen bei der Ufa machen durfte.

Den Goldbergs war es nicht gelungen, aus Deutschland herauszukommen. So schloss sich auch für Stella endgültig die Tür nach draußen, als im Juni 1941 der Krieg gegen die Sowjetunion begann. Stella musste nun auch den verhassten gelben Stern tragen und Zwangsarbeit mit anderen jüdischen Frauen verrichten; zunächst bei Siemens & Schuckert und später bei Erich & Graetz in Treptow, wo sie elektrische Kabel und Stecker verlötete – in der Firma Graetz lernte Stella unter anderem auch die Freundin von Ruth Arndt Gumpel, Ellen Lewinsky, kennen. Während dieser Zeit, im Oktober 1942, heiratete Stella einen jüdischen, gleichaltrigen Musiker, in dessen Jazzband sie damals als Sängerin auftrat. Mit dem Tag der Fabrikaktion, am 27. Februar 1943, endete das kurze Eheleben. Es gelang Stella, sich während der Razzia bei den Graetz-Werken zu verstecken und unterzutauchen. Ihr Ehemann hatte weniger Glück, wurde am Arbeitsplatz verhaftet, nach Auschwitz deportiert und dort ermordet. Von ihren Eltern getrennt, lernte Stella einen weiteren jüdischen Untergetauchten kennen, der ihr einen Ausweis fälschte. Er hieß Rolf Isaaksohn und wurde später ihr zweiter Ehemann. Die beiden gaben ein auffälliges, fast schon glamouröses Paar ab. Sie, die auch in der Illegalität engelsgleiche, blonde Schönheit, er ein großgewachsener, schlanker Typ mit schwarzglänzendem nach hinten gekämmtem Haar, der an einen adeligen Italiener erinnerte. Und als blaublütig gab sich der schöne Rolf auch in der Illegalität aus: Er hatte sich Papiere gefälscht und firmierte nun als Herr Zeidler von Jagow. Als solcher war er ein gefragter Fälscher, der für frisierte Kennkarten und Wehrmachtspapiere Beträge zwischen 300 und 1500 Reichsmark bekam. Eine enorme Summe damals, wenn man zugrunde legt, dass das Monatseinkommen eines Arbeiters damals durchschnittlich 150 Reichsmark betrug. 1500 Reichsmark für einen gefälschten Personalausweis entsprachen ungefähr heutigen 15.000 Euro.

Doch Stella und Rolf waren zu auffällige Erscheinungen für ein längeres Untertauchen, selbst in der damals 4,5 Millionen Einwohner zählenden Reichshauptstadt. Als die beiden an einem Tag im Juli 1943 in dem *Restaurant Bollenmüller* zusammensaßen, wurden sie von der Gestapo verhaftet.

Stella wurde in der Großen Hamburger Straße von Lagerleiter Dobberke schrecklich zugerichtet, wie mehrere andere Gefangene nach dem Krieg bestätigten. Dobberke drohte ihr, so erzählt uns Cioma Schönhaus, der viele Jahre später einmal mit der bereits alten Stella telefonierte, ihre Schönheit zu zerstören, wenn sie nicht helfe, andere Juden zu schnappen. Dies und auch die Sorge um ihre Eltern, die sonst nach Auschwitz transportiert werden würden, ließen Stella einwilligen, künftig mit der Gestapo als Fahnderin zu kooperieren. Bald ging sie mit Rolf Isaaksohn auf Jagd. Die zwei sollen mehr als 250 Untergetauchte aufgespürt und festgenommen haben. Sie waren so erfolgreich bei ihrem verräterischen Tun, dass sie schnell zum Schrecken der Untergetauchten avancierten. Stella hieß bei ihnen das „blonde Gift" oder der „Schrecken vom Kurfürstendamm". Sie trat stets mit einem Hut auf, geschmückt mit einer langen, grünen Fasanenfeder, die hoch hinausragte. Zu zweit durchkämmten sie die Cafés im Westen der Stadt. Vor allem jene wenigen Orte, von denen sie wussten, dass sie Anlaufstationen für Illegale waren. So das *Cafe Heil* am Olivaer Platz, wo man hinging, wenn man unbedingt jemand finden musste für die nächste Nacht, weil ein anderes Quartier gerade nicht mehr zur Verfügung stand. Oder das *Café Dobrin*, auch in Nähe zum Kurfürstendamm gelegen, von dem die jüdischen Illegalen wussten, dass es dort ohne Bezugsschein eine günstige Mahlzeit gab. Stella kannte diese Orte aus der eigenen kurzen Zeit im Untergrund. Zudem hatte sie ihre Kindheit und Jugend hier in Charlottenburg verbracht. Sie war in der nahegelegenen Westfälischen Straße zur Schule gegangen, ihre Eltern hatten in Halensee gewohnt. Sie war gleichsam auf dem Weltstadtboulevard Kurfürstendamm aufgewachsen. Ralf Isaaksohn hatte sie hier während der Illegalität kennengelernt. Und hier gingen die beiden als Mitarbeiter des jüdischen Fahndungsdienstes auf die Jagd.

Stella sollte einen jüdischen Untergetauchten aufspüren, der bald zu einem der meistgesuchten Männer der Stadt wurde: Cioma Schönhaus, jenen jüdischen Passfälscher, der, so die Vermutung der

Gestapo, möglicherweise Hunderten von Illegalen Papiere beschafft hatte. Im Herbst 1943 wurde er mit Steckbrief zur Fahndung ausgeschrieben. Tatsächlich waren sich Stella und Cioma wenige Monate zuvor am belebten Tauentzien, nur ein paar Meter vom KaDeWe entfernt, begegnet. Cioma erinnert sich an den Augenblick, als sie auf ihn zulief: „... da kommt sie mir entgegen, die Inkarnation der Marilyn Monroe und ich sagte: Hallo Stella, wollen wir was zusammen trinken, da sagte sie ja.

„Ach die Stella... das war ein sehr schöner Moment als ich da am KaDeWe vorbeiging, da kommt sie mir entgegen, die Inkarnation der Marylin Monroe.“

Da gingen wir ein Café und haben etwas bestellt, und ich habe meine Hand auf ihre gelegt, und sie hat die Hand nicht weggezogen. Und da dachte ich Hoppla, das ist gut. Und sagte: Du, soll ich dir mein illegales Zimmer zeigen? Ich wollte ihr das von der Frau Schirrmacher vorführen, und da sagte sie ja.“ Zusammen liefen sie durch den abendlichen Verkehr, am KaDeWe vorbei und stiegen gegenüber der U-Bahnstation Wittenbergplatz in die damals hier noch fahrende Straßenbahn. Der mittlerweile in der Illegalität erfahrene Cioma muss so angetan von Stella und den sich ihm plötzlich eröffnenden Möglichkeiten gewesen sein, dass er alle Vorsicht fallen ließ. Stella Goldschlag mit in sein nicht registriertes Zimmer zu nehmen – ein fataler Fehler bahnte sich an. Die Fahrt bis zur Kleistraße war nur ein Sprung, gerade mal zwei Stationen. „Und als wir einsteigen, wir standen noch auf der Plattform, hinten in der Straßenbahn, da sagte sie zu mir: Du, machst du keinen Fehler? Da sag ich, doch du hast Recht, und heute hab ich das Gefühl, da hat ein Engel eingegriffen – und dass es eine Liebeserklärung von ihr war, dass sie gesagt hat: Machst du keinen Fehler – denn sie hat in der Regel die Leute schon verraten.“

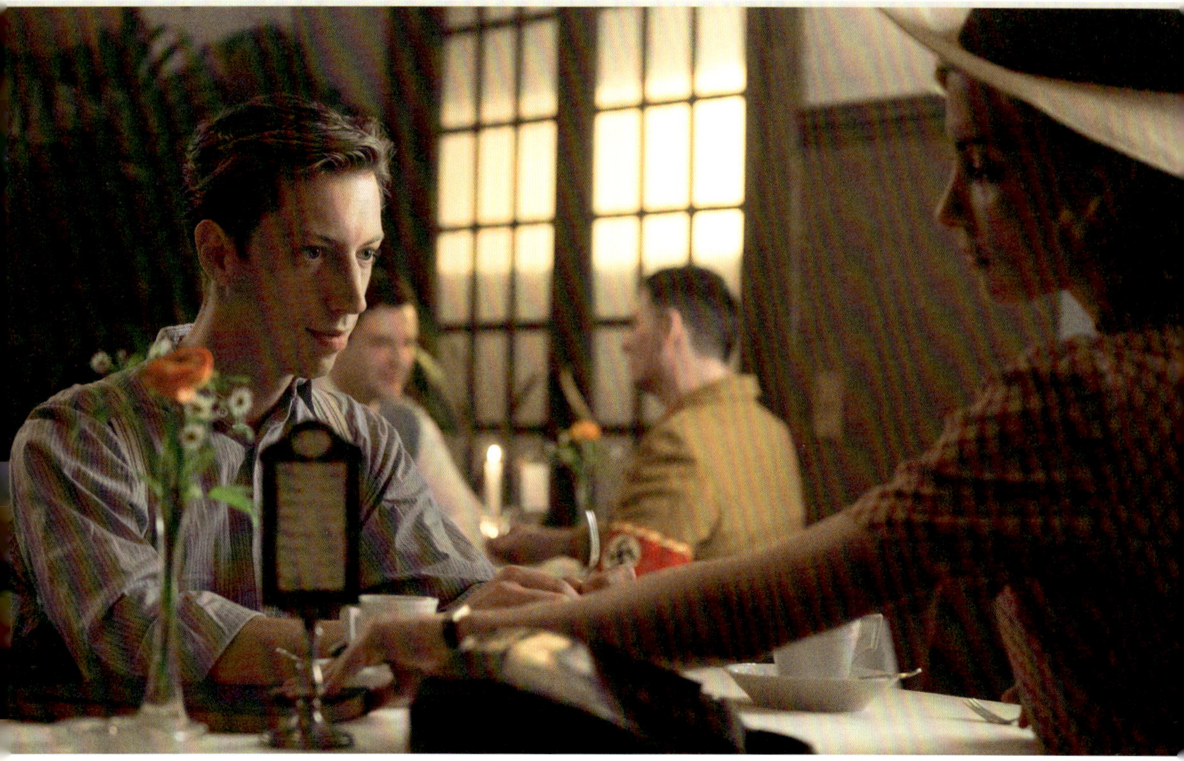

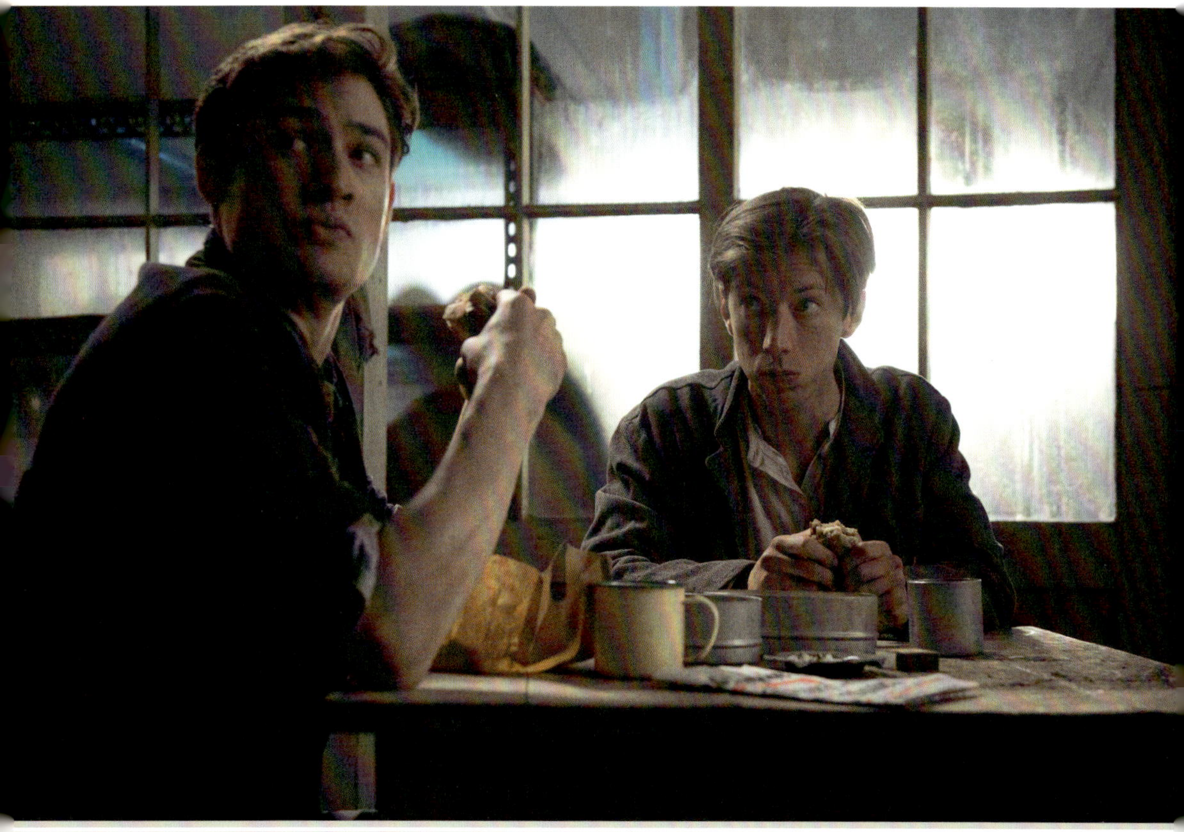

Ob sie ihn ausgeliefert hätte? Es ist müßig, darüber zu spekulieren. Tatsächlich sind Berichte überliefert, dass Stella einige wenige Untergetauchte, die sie von früher kannte, nicht verraten hatte. Und sogar warnte, an bestimmten Orten zu verkehren. Sie war eine äußerst zwiespältige Person, in der sich auch das ganze Drama der jüdischen Berliner spiegelt, die versuchten, sich im Untergrund durchzubringen. Zu überleben. Niemand, der nicht in einer so furchtbaren Situation war, vermag zu beurteilen, wie er selbst sich verhalten hätte. Hinzu kam, dass man ihr, dem Einzelkind, versprach, ihre Eltern vor einer Deportation nach Auschwitz zu bewahren. Die 22-Jährige kooperierte und soll sogar ihren Einsatz noch erhöht haben, nachdem ihre Eltern im Februar 1944 „nur" nach Theresienstadt gebracht wurden. Aber alle Beflissenheit nutzte ihr nichts. Im Herbst 1944 wurden Gerhard Goldschlag und seine Frau weiter nach Auschwitz transportiert und dort ermordet.

> **Ein Drittel der etwa 30 Mitglieder des jüdischen Fahndungsdienstes wurden ebenfalls deportiert, meist direkt nach Auschwitz. Ihre Transportscheine der Gestapo erhielten den Vermerk „Rückkehr unerwünscht" – ihr Todesurteil.**

Diesem Schicksal entgingen auch Verräter nicht. Ein Drittel der etwa 30 Mitglieder des jüdischen Fahndungsdienstes wurden ebenfalls deportiert, meist direkt nach Auschwitz. Ihre Transportscheine der Gestapo erhielten den Vermerk „Rückkehr unerwünscht" – ihr Todesurteil. Zeugen sagten nach dem Krieg aus, dass einige bereits auf dem Weg in den Osten von anderen Gefangenen schrecklich zugerichtet wurden, da sich sofort im Zug herumsprach, wer sie waren, was sie angerichtet hatten. Stella konnte mit Glück und Geschick in Berlin überleben, wo sie im Winter 1944/45 eine weitere Affäre mit einem anderen gefangenen Untergetauchten, Heinz Meissl, anfing, von dem sie bald schwanger wurde. Im Oktober 1945 bekam sie in Liebenwalde bei Berlin, wo sie sich unter dem Namen Stella Meissl versteckt hielt, ihre Tochter Gudrun. Das Kind wurde ihr jedoch im März 1946 weggenommen, als sie es wagte, sich in Berlin bei der sich neu formierenden jüdischen Gemeinde als „Opfer des Faschismus" registrieren zu lassen – damit war eine bessere Zuteilung von Lebensmitteln und Wohnraum in den

S. 74 oben: Cioma mit Stella im Café
unten: Cioma und ein Kollege in der Treptower Fabrik

alliierten Sektoren verbunden. Beinahe wäre sie dabei von aufgebrachten Holocaust-Überlebenden, die sie erkannten, gelyncht worden. Russische Militärkräfte schritten ein, nachdem ihr bereits büschelweise ihr blondes Haar ausgerissen worden war. Stella wurde von einem russischen Militärgericht nach kurzem Prozess zu zehn Jahren Lagerhaft verurteilt, die sie fast vollständig absitzen musste. Schwer gezeichnet kehrte sie 1956 zurück. Nun in das neu geformte West-Berlin, wo sie sofort, aber vergeblich versuchte, ihre Tochter zurückzubekommen. Sie blieb zunächst in West-Berlin, zog dann in den 60er-Jahren nach Freiburg. Auch hier ließ sie ihre Vergangenheit nicht los. 1994 – mit 72 Jahren – beging Stella Selbstmord. Verschollen blieb Rolf Isaaksohn. Die letzte, die ihn sah, war Stella, von der er sich am 17. April 1945 am halb zusammengestürzten Bahnhof Zoo verabschieden wollte. Stella, obwohl noch auf dem Papier mit Rolf verheiratet, hatte den Vater ihres noch ungeborenen Kindes an ihrer Seite, als Rolf vor seiner Flucht aus dem von Straßenkämpfen umtobten, fast eingeschlossenen Berlin dort auftauchte. Auf ihre Frage, wo er hinwolle und wie er glaube, aus der ganzen Geschichte herauszukommen, öffnete er einen mitgeführten Koffer: Er war voller Gold und kostbarer Edelsteine. Außerdem hatte er 40.000 Reichsmark dabei. Geraubt und erpresst von anderen Untergetauchten. Obwohl nach Isaaksohn später auch international gefahndet wurde, blieb er wie vom Erdboden verschluckt. Vielleicht sitzt er heute irgendwo in Südamerika unter falschem Namen auf der Terrasse eines Altenheimes. In Montevideo oder Buenos Aires oder Asunción, wo nach dem Krieg Tausende von Nazi-Tätern hinzogen, um sich vor der Rache der Sieger zu retten. Vielleicht lebt er noch mit biblischen 96 Jahren, umgeben von Kindern, Enkeln und vielleicht Urenkeln, die nicht den Hauch einer Ahnung davon haben, wer ihr Urgroßvater wirklich war.

S. 77: Hanni und Viktoria Kolzer

KAPITEL 5

WIDERSTAND IM UNTERGRUND

WIE SICH JUDEN UND NICHTJUDEN ZUR WEHR SETZEN

Gemeinschaft für Frieden und Aufbau
Reichsführung München

April 1944

G e n e r a l m o b i l m a c h u n g

Die Gemeinschaft für Frieden und Aufbau, geboren aus der Not des Volkes, marschiert. Mutige Männer und Frauen Deutschlands haben sich zusammengeschlossen, um Lüge und Mord der Nazis ein Ende zu bereiten.

Wir wollen nicht mehr mitansehen, wie unsere Soldaten sich an der Front verbluten. Wir dulden nicht mehr, dass Tag und Nacht unsere Heimat von Bombern zertrümmert wird. Wir wollen nicht zusehen, wie unsere Arbeiter in 72 Wochenstunden bis aufs Letzte ausgebeutet werden. Wir wollen ein gesundes Volk bleiben und nicht Nervenbündel sein. Unsere Lage ist aussichtslos. Der Feind steht an den Oelquellen in Rumänien. Die Invasions-heere stehen zum Einfall bereit. Die feindliche Luftwaffe übt immer stärkere Tag- und Nachtangriffe aus. Die Verluste, die wir ihnen zufügen, sind bedeutungslos. Wir haben keine Ver-geltungswaffen, denn aus zerstörten Fabriken können wir keine Wunder erwarten. Wir kämpfen für den sofortigen Frieden. Wenn unser Volk erst zu Bettlern geworden ist, war alles um-sonst.

Wir rufen zum p a s s i v e n W i d e r s t a n d auf !!

Wir verlangen von Dir nichts anderes, als dass Du denken sollst. Rede nicht sinnlos nach, was Dir von der Regierung oder ein-zelnen Parteigenossen vorerzählt wird. Du verlängerst damit den Krieg und trägst somit die Schuld am Elend unseres Volkes. Wir klären Dich auf. Versuche unsere Aufklärungsschriften zu bekommen.

Folge unseren Anweisungen.

H i l f u n s u n d D u h i l f s t D i r.

Du hast vorstehendes 10 mal abzuschreiben und an 10 verschie-dene Leute zu versenden. Wir werden Dich nach diesen Namen fra-gen. Wenn Du unserer Aufforderung nicht nachgekommen bist, wirst Du aus der Gemeinschaft ausgeschlossen.

Behalte dieses Schreiben für Dich als Ausweis.

‒ ‒ ‒ ‒ ‒ ‒ ‒ ‒ ‒ ‒

Am 31. Juli 1941, knapp zwei Wochen nach dem Angriff Nazideutsch-lands auf die Sowjetunion, beauftragte Hermann Göring den Leiter des Reichssicherheitshauptamtes (RSHA), Reinhard Heydrich, „alle erforderlichen Vorbereitungen in organisatorischer, sachlicher, und materieller Hinsicht zu treffen für eine Gesamtlösung der Judenfrage im deutschen Einflussgebiet in Europa." Es war dies der direkte staat-liche Befehl für die Verfolgung und Ermordung der Juden in Europa.

Noch immer hoffte sie darauf, dass Deutschland trotz aller radikalen Zuspitzungen ein Staat ist, der seine Tradition als Kulturnation nicht vollends verrät.

Davon erfuhr die jüdische Bevölkerung nichts. Noch immer hoffte sie darauf, dass Deutschland trotz aller radikalen Zuspitzungen ein Staat ist, der seine Tradition als Kulturnation nicht vollends verrät. Auch jüdische Interessenvertreter in der auf Anordnung der Nationalsozia-listen gebildeten Jüdische Reichsvereinigung glaubten daran. Sie setzten darauf, dass die eingeforderte Kooperation mit den Behörden helfen würde, das Schlimmste abzuwenden; auch bei den im Oktober 1941 beginnenden Deportationen, an deren Organisation sie mitzuwirken hatten. Es war dies eine Position, die zu einer erbitterten Auseinander-setzung innerhalb der Reichsvereinigung führte. Einige der Mitglieder, die sich keinen Illusionen hingaben, plädierten dafür, Widerstand zu organisieren. Geld und Lebensmittelkarten und Ausweispapiere zu beschaffen, ein Netzwerk aufzubauen, um die Chancen für ein Leben in der Illegalität zu erhöhen. Doch diese überwiegend jungen Menschen konnten sich gegen die Mehrheit in der Jüdischen Reichsvereinigung nicht durchsetzen. Zu groß war unter dem Vorsitzenden Leo Baeck deren Furcht, damit der Gestapo Anlass für grausame Vergeltungs-maßnahmen zu geben. So arbeitete die Reichsvereinigung der Gestapo zu, lieferte Adressen für die Listen, die ab Oktober 1941 zunächst vor allem an ältere jüdische Berliner verschickt wurden.

S. 78: Werner Scharff
S. 80: Flugblatt der Widerstandsgruppe „Gemeinschaft für Frieden und Aufbau"; zu ihr gehörten Juden und Nichtjuden aus Luckenwalde und Berlin.

Zur Reichsvereinigung gehörte auch der 40-jährige Berliner Werner Scharff, bei der jüdischen Gemeinde als Elektriker für deren Synagogen und weitere Gebäude zuständig. Als die Gestapo beschlossen hatte, die Synagoge in der Levetzowstraße als Sammelstelle für die zur Deportation vorgesehenen Juden zu benutzen, musste er dort die während des Novemberpogroms 1938 beschädigten Leitungen und die Beleuchtung reparieren. So war Werner Scharff von Anbeginn über Art und Ausmaß der Deportationen informiert.

Scharff war nicht nur Handwerker, sondern auch jemand, der über Courage und Standhaftigkeit verfügte. Zudem war er einfallsreich und geschickt. Und er verstand es, sich bei den Gestapo-Mitarbeitern beliebt zu machen. So gelang es ihm in seiner urberlinerischen, kumpelhaften Art, mit einigen Männern der Gestapoleitstelle Abt. IV D1 – zuständig für Judenangelegenheiten – nicht nur in Kontakt zu kommen, sondern mehr: Sie ließen sich von Scharff immer wieder mal eigene Reparaturen privat durchführen. Dabei erfuhr der Elektriker, dass alle Juden aus Deutschland weggebracht werden sollten und welche Lager im Osten auf sie warteten. Ihm wurde dabei aber auch klar, dass die Gestapo auf die Unterstützung der Reichsvereinigung bei den Deportationen nur deshalb baute, weil deren Mitarbeit eine beruhigende Wirkung auf die betroffenen Juden hatte. Man wollte so Widerstand gegen die Evakuierungen verhindern. Polizisten oder Gestapo-Beamte, die Juden für den Transport abholten, wurden stets von einem jüdischen Funktionär begleitet. Die Mitwirkung ihres Abholers, der von den jüdischen Berlinern auch so genannt wurde, gab den Opfern das Gefühl, dass alles seine Ordnung habe, es nicht so schlimm kommen werde, da ja einer ihrer eigenen Leute an der Aktion beteiligt ist. Es war ein perfides Kalkül, das aufging. Es gibt Berichte, nach denen sich jüdische Ordner sogar von den hastig ihre Koffer packenden Familien etwas zu essen vorsetzen ließen, während sich um ihn herum Abschiedsdramen abspielten ...

Werner Scharff erfuhr auch über seine Geliebte, Fancia Grün, die in der Reichsvereinigung als Sekretärin arbeitete, dass die von den Juden auszufüllenden Vermögenserklärungen dazu dienten, sich staatlicherseits deren Habe zu bemächtigen, sie also vollständig auszuplündern. Auf den Transport in die Lager durften sie dann lediglich Handgepäck und einen penibel verordneten Wäschevorrat mitnehmen. Scharff begriff: Wenn ein Vermögen derart aufgelöst wird, kommt das einer Testamentseröffnung gleich.

Er gab sich keinerlei Illusionen über das Schicksal der auf den Transport geschickten Juden mehr hin.

Aber Scharff blieb nicht untätig, sondern versuchte dem etwas entgegenzusetzen. Bei seinen privaten Arbeiten für Gestapo-Mitglieder konnte er sich einen Dienstmantel beschaffen, und in dieser Montur ging er in bereits geräumte und noch versiegelte Wohnungen von Bekannten, um für sie noch versteckte Wertgegenstände vor dem Zugriff der Verfolger zu retten. Dass diese Gegenstände den im Lager Ankommenden sofort abgenommen wurden, ahnten weder seine Bekannten noch er.

Welchen Mut und welche Entschlossenheit Scharff angesichts der aussichtslos scheinenden Situation dennoch aufbrachte, dokumentiert eine weitere Begebenheit: Als sein jüngerer Bruder Stefan bei der Razzia am Tag der sogenannten Fabrikaktion verhaftet wurde und von der Gestapo zunächst in die ehemaligen Markthalle in der Mauerstraße, ins *Clou*, gebracht wurde, beschloss Scharff sofort, ihn herauszuholen. Mit einem Handwerkerkittel in der Tasche, einer Ausziehleiter und Werkzeugkiste fuhr er zur Halle. Dort bot sich ihm ein gespenstisches Bild: Auf dem Boden saßen im Licht von Ölfunzeln die ihrer Verschickung harrenden Menschen mit Koffern, Taschen und Decken. Dazwischen verstört spielende Kinder, denen man nicht erklären konnte, wohin die plötzliche Reise gehen würde, Alte, die sich ihrem Schicksal ergeben hatten und vor sich hin beteten. Scharff lief durch diese verwirrte Menschenmenge und hielt Ausschau nach seinem Bruder. Als er ihn entdeckte, bugsierte er ihn in eine Ecke, öffnete seine Werkzeugkiste und fordert ihn auf, sich rasch den Handwerkerkittel überzuziehen. Momente später marschierte Scharff laut schimpfend mit seinem nun im grauen Kittel wie ein Lehrling aussehenden Bruder durch die Sammelstelle. Die jüdischen Ordner und auch die Polizisten am Eingang glaubten, dass Scharff einen Kollegen zusammenstaucht. So konnten die Brüder dank Werners dreisten Auftritts unbehelligt die Deportationssammelstelle verlassen. Stefan Scharff überlebte den Holocaust, konnte nach dem Krieg in die USA auswandern und erzählte diese Geschichte viele Jahre später. Auch Eugen Friede wusste von den hasardeurhaften Aktionen Scharffs. Der plante, so lange es ging, legal draußen zu bleiben, um weiterhin Handlungsspielraum zu haben. Wollte erst im letzten Augenblick gemeinsam mit seiner Freundin abtauchen. Den Hinweis, wann es soweit sein würde, erwartete er, aus der Reichsvereinigung zu bekommen.

Etwa 8000 Berliner Juden, die Zwangsarbeit in Berlins Rüstungsbetrieben leisteten, wurden während der am 23. Februar 1943 begonnenen Razzia, der sogenannten Fabrikaktion, aufgegriffen. Die meisten von ihnen – man schätzt etwa zwei Drittel – mussten mehrere Tage und Nächte zusammengepfercht in sechs Sammelstellen ausharren, bis die Transporte in der ersten Märzwoche Richtung Osten gingen – nach Auschwitz. Eine dieser Sammelstellen befand sich in der Großen Hamburger Straße 26. Das ehemalige jüdische Altenheim war von der Gestapo 1942 kurzerhand geräumt und umfunktioniert worden. Hier wütete von Oktober 1942 bis Januar 1943 SS-Hauptsturmführer Alois Brunner, der sich damit brüstete, zuvor Wien judenfrei gemacht zu haben. Unter seiner Leitung waren alle Möbel aus dem Altenheim geworfen und die Fenster in den Zimmern bis auf winzige Luft- und Sichtschlitze zugemauert worden. Das Gebäude wurde rund um die Uhr bewacht und nachts wie ein Hochsicherheitstrakt angestrahlt. Seit dem Herbst 1942 wurden hier die zu deportierenden Berliner Juden eingesperrt.

Joseph Goebbels verkündet, „spätestens bis Ende März Berlin gänzlich judenfrei" zu machen.

Annähernd 7000 Berliner Juden war es gelungen, sich den Verhaftungen im Rahmen der Fabrikaktion zu entziehen und abzutauchen. Fortan verstärkte die Gestapo ihre Jagd auf sich illegal in der Stadt aufhaltende Juden. Schließlich hatte der Propagandaminister und Gauleiter von Berlin, Joseph Goebbels, verkündet, „spätestens bis Ende März Berlin gänzlich judenfrei" zu machen. Aufgegriffene Juden wurden in die Große Hamburger Straße geschafft, wo eine unvorstellbare Enge und unzumutbare sanitäre Bedingungen herrschten. Den eingepferchten Familien musste es wie der Vorraum zur Hölle erschienen sein, hier mit Dutzenden anderen auf Strohmatten die Nächte verbringen zu müssen, bis man, sobald 200 Leute zusammen waren, auf den Transport ging. Zunächst auf Lastwagen – nachts – durch das verdunkelte Berlin Richtung Grunewald. Der Konvoi endete an der abgelegenen Gleisanlage 17 des Bahnhofs Grunewald. Von hier draußen, dennoch gut im Blick einiger in Nachbarschaft liegender Villen, gingen die Transporte per Güterwaggon nach Auschwitz oder in umgebauten und gesicherten Personenzügen nach Theresienstadt.

All das hatte Werner Scharff gesehen, als Elektriker der Reichsvereinigung durfte er in der Großen Hamburger Straße ein- und ausgehen,
wurde mit den weiteren 20 Mitarbeiter im Innendienst noch für eine
Weile gebraucht. Dass er sich einer Deportation widersetzen würde, stand
für ihn fest – er würde außerdem für die Geschichte der Illegalität, des
Widerstandes der jüdischen Berliner, noch eine wichtige Rolle spielen.

Auf sein Überleben im Untergrund bereitete Scharff sich gründlich
vor, tat sich dabei mit seinem Freund Ludwig Lichtwitz, einem durch
seine christliche Ehefrau halbwegs geschützten Kreuzberger Drucker zusammen. Lichtwitz, ein Mann Mitte 30, mietete eine Werkstatt in Moabit
an, die nach außen als Elektroinstallationsbetrieb getarnt war. Zu Scharff
und Lichtwitz stieß später auch Cioma Schönhaus, der dringend einen
Ort suchte, wo er ungestört seinem Fälscherhandwerk nachgehen konnte. Cioma erzählt uns, auf welch abenteuerliche Weise Ludwig Lichtwitz,
der ihm ein enger Freund im Untergrund wurde, an die Werkstatt kam:
„Er war befreundet mit einem Chauffeur der afghanischen Botschaft,
und der Chauffeur hat den Laden, den wir da bewohnt hatten, offiziell
im Namen der afghanischen Botschaft gemietet." Angeblich benötige
die Botschaft die im Erdgeschoss in der belebten Moabiter Waldstraße
gelegene Werkstatt – heute ist direkt davor eine Taxi-Haltestelle –, um
dort diverse Utensilien auszulagern. Da die Zahl der – freiwillig – mit
Deutschland verbündeten Staaten zu diesem Zeitpunkt überschaubar
war, willigte der Vermieter ohne Nachfragen zu stellen ein und küm-
merte sich nicht weiter darum. Scharff konnte allerlei Elektrogerüm-
pel beschaffen und lud vor der Tür leere Kabeltrommeln ab, sodass
es nach einem normalen Handwerksbetrieb aussah. Um die Tarnung
abzurunden, brachte er seinen Gefährten Handwerkerkittel mit, mit
denen sie die Werkstatt betraten und verließen. Jahrzehnte später löst
diese geradezu köpenickiadische Überlistung der Nachbarschaft bei
Cioma Schönhaus noch immer Heiterkeit und Stolz aus, lässt ihn die
Gefahr, die für ihn als Passfälscher hier lauerte, fast vergessen. „War
`ne geregelte Tätigkeit. Ich trug einen weißen Kittel und sah aus wie
ein technischer Zeichner, wenn ich da zur Arbeit erschien. Der Ludwig
trug auch eine weiße Schürze, die Leute sahen uns rein- und rausgehen
und so gesehen war es eine sichere Bleibe."

Auch Mrs. Gumpel erzählt uns amüsiert davon, wie sie und Ellen Lewinsky die hitlertreuen Volksgenossen einst überlisteten, dabei mitunter gar die eingegangenen Risiken fast vergaßen. Als Ruth und Ellen einmal wieder ohne Zimmer dastanden, hatte ihre Helferin Anni Gehre eine vielleicht rettende, aber zugleich gefährliche Idee. Bei ihr im Vorderhaus lebte eine Frau, die als stramme NS-Anhängerin in der Nachbarschaft bekannt und gefürchtet war. Frau Liebhold, eine Frau in den 50ern, arbeitete als Reinemachefrau in der Oper und hatte einen Sohn an der Front. So lebte sie alleine in ihrer kleinen Zweizimmerwohnung am heutigen Paul-Lincke-Ufer in Kreuzberg, hatte wenig Freunde und hoffte inständig, dass Hitlers Verheißungen alle in Erfüllung gehen würden. Frau Gehre marschierte nun mit Ruth nun Ellen zu ihr, stellte die beiden 20-Jährigen als ihre ausgebombten Verwandten aus dem Rheinland vor. Erklärte, dass die jungen Frauen – aus dem Führerhauptquartier! – nach Berlin beordert worden seien, weil sie einen besonderen Auftrag hätten, über den sie selbstverständlich mit niemandem sprechen dürften. Daher ihre Frage, ob sie bei ihr – Wohnraum war auch in Berlin rar – die kleine Speisekammer neben der Küche mieten könnten. Frau Liebhold fühlte sich geehrt, bei einer wichtigen, im Sinne der Partei konspirativen Angelegenheit helfen zu können, verwies aber auf die sehr engen Verhältnisse in ihrer Wohnung. „Da hat Frau Gehre gesagt, das spielt keine Rolle, die brauchen nur etwas, um zu schlafen, aber am Tage und abends müssen die dann immer weg zu irgendwelchen Treffen mit dem Führer, also das heißt, Sie dürfen auf keinen Fall irgendwelche Gespräche mit den Mädchen führen oder ihnen Fragen stellen, denn es ist alles sehr geheim. Das war natürlich ganz fabelhaft für Frau Liebhold. Dann hat sie aber gesagt: Ja, aber ich würde doch gerne etwas Geld dafür bekommen. Das war die einzige Frau, *Rescue* (Helferin), wo wir was bezahlen mussten. Allerdings wusste Frau Liebhold ja nicht, dass wir jüdisch sind... Das war eine unheimliche Glücksache für uns, und Ellen und ich haben uns darüber auch amüsiert. Ellen und ich haben also zusammen in dem Bett geschlafen, es war natürlich nicht geheizt, war ja sowieso nirgendwo", erinnert sich Mrs Gumpel Jahrzehnte später.

Hanni Lévys Finger entzündete sich immer wieder, deshalb war sie in großer Sorge, dass es eine Blutvergiftung werden könnte. Doch ein Besuch bei einem Arzt stellte für sie wie für alle Illegalen eine schier unüberwindliche Hürde dar, fürchteten sie doch, Ausweispapiere vorlegen zu müssen. Selbst wenn sie über diese verfügten, bestand die Gefahr, dort damit aufzufliegen, wenn bei gutem Licht irgendetwas an den Stempellinien oder den Ösen beim Austausch des Passfotos mangelhaft durchgeführt worden war. Nicht alle Fälscher, von denen es in Berlin damals einige gab, arbeiteten so perfekt wie Cioma Schönhaus.

Hanni war rund um den Kurfürstendamm viel alleine unterwegs und wusste inzwischen auch, dass sie nicht die einzige untergetauchte Jüdin war. Umso aufmerksamer war sie nun, wenn sie so tat, als sei sie auf dem Weg zur Arbeit oder erledige gerade etwas in der Mittagspause. Ihre Helfer hatten sie vor Verrätern gewarnt, die es mittlerweile unter den Juden gab, und die die nun Jagd auf Ihresgleichen machten. Hanni hatte auch von den zwei besonders gefährlichen Greifern gehört, einer blonden jungen Frau und einem schlaksigen, südländischen Typ, die sich vorzugsweise am Kurfürstendamm herumtrieben. Doch erblondet fühlte sich Hanni sicher genug. In den ersten Tagen nach ihrem Frisörbesuch war sie ja selbst jedes Mal überrascht, wenn sie an einem der gläsernen Schaukästen am Kurfürstendamm stehen blieb, um ein bisschen Zeit rumzubringen. Hatte gedacht, eine Fremde schaut sie aus der Spiegelung an. Sie hatte auch bereits einige Herren, die sie angesprochen hatten und kennenlernen wollten, abblitzen lassen. All dies stärkte sie, machte sie selbstbewusster. Sie spürte, dass sie sich in den Monaten der Illegalität entscheidend verändert und entwickelt hatte. Und doch zehrten Einsamkeit und Verlassenheit an ihr. Sie wünschte sich, einfach mal jemanden zu treffen, mit einer Freundin in einem Café zu plaudern. Stattdessen war sie unentwegt in einem Zustand angespannter Verstellung unterwegs – eine Anstrengung, die man kaum nachvollziehen kann. Verständlich, dass Hanni dennoch etwas tat, wovon sie wusste, dass es für Untergetauchte das Ende bedeuten konnte. Sie beschloss, in ihre alte Gegend, nach Kreuzberg, zu fahren und eine frühere Bekannte ihrer verstorbenen Mutter zu besuchen. Eine Frau, die einen kleinen Milchladen betrieb, nur einen Steinwurf entfernt von ihrer alten Wohnung in der Solmsstraße, wo sie aufgewachsen war. Der Laden lag im Souterrain zur Straße hin, eine kleine Treppe führte hinab. Hanni war von Wilmersdorf aus gelaufen, wo sie zu der Zeit eine Bleibe hatte. Sie ging an ihrer alten Schule entlang, wollte sehen, ob es die Orte ihrer Kindheit und Jugend noch gab oder ob sie womöglich auch verschwunden waren – so wie sie aus ihrem alten Leben, sich nun

Hannelore Winkler nannte und sich immer eingetrichtert hatte, ja nicht zu reagieren, wenn sie zufällig einem Bekannten begegnete und ihren alten Namen zugerufen bekäme. Es war bereits später Nachmittag, als sie von der Schule in der Yorckstraße kommend in die Solmsstraße einbog; sie wollte die Frau kurz vor Ladenschluss überraschen. Zaudernd ging sie ein paar Mal auf der gegenüberliegenden Straßenseite hin und her, nahm dann ihren ganzen Mut zusammen. Sie stieg die Stufen zum Milchgeschäft hinab. Die Frau hatte gerade eine andere Kundin bedient, deren Marken entgegengenommen und Hanni nur einen kurzen Blick zugeworfen. Sie hatte sie nicht erkannt, bemerkte Hanni. Sie wartete, bis sie alleine waren. Als sie sich offenbarte, war die Frau völlig durcheinander, begriff zunächst nicht, wie dies zusammen passte: Sie erkannte Hannis Stimme wieder, ihre Augen, ihre Statur, alles stimmte. Aber zugleich stand eine völlig fremde, zudem erwachsene junge Frau vor ihr. Sie fragte, warum sie hier sei, sie habe gehört, dass alle Juden aus Berlin weggebracht worden seien. Nachdem Hanni ihr sagte, dass sie untergetaucht sei, ging sie sofort zur Tür, schloss ab und ließ zur Vorsicht auch die Rollläden herunter. Sie war bewegt und voller Mitleid mit der 18-Jährigen. Packte ihr auf der Stelle ein paar Lebensmittel ein. Doch wie so vielen anderen fehlte ihr der Mut, mehr zu tun. Bei ihr könne sie nicht schlafen, da ihr Mann dabei nicht mitmachen werde, die Nachbarn seien extrem misstrauisch, der Blockwart habe einen bereits auf dem Kieker. Hanni überraschte dies nicht, sie kannte es, abgewiesen zu werden. Sie wusste, wie wichtig es war, dem anderen nicht das Gefühl zu geben, sich schäbig oder feige verhalten zu haben. Dies konnte womöglich dazu führen, dass er jemandem davon erzählte, womöglich dem Falschen, und das könnte weitere Probleme nach sich ziehen. So versuchte Hanni, der Frau weiszumachen, dass sie zurechtkomme. Doch die Milchfrau entdeckte Hannis bandagierten Finger, fragte, was es damit auf sich habe. Und nun hatte sie eine Idee, die Hanni vielleicht nicht nur ihren Finger rettete: Sie riet ihr, zu einem Arzt als Privatpatientin zu gehen. Privatpatienten mussten wie sonst üblich keinen Versicherungsschein von der Krankenkasse vorlegen und hinterlassen. Sie gaben ihren Namen und ihre Adresse an, damit der Arzt ihnen seine – schon damals deutlich höhere – Rechnung zuschicken konnte. Diesen Rat griff Hanni dankbar auf. Tage später traute sie sich zu einem Arzt und konnte sich von ihm den Finger behandeln lassen.

Am 10. Juni 1943 wurde die Jüdische Reichsvereinigung in Berlin aufgelöst. Ihre verbliebenen Mitglieder waren fassungslos, als sie verhaftet und ihnen mitgeteilt wurde, dass sie nun, nachdem sie mit der Gestapo bei der Deportation ihrer Leidensgefährten kooperiert hatten, selbst dieses Schicksal erleiden. Auch sie wurden gezwungen, eine Vermögenserklärung abzugeben und zuzustimmen, dass alles, was sie in ihrem Leben erworben, angespart, vererbt, verdient haben, nun dem Staat, genauer den Finanzbehörden, übereignen müssen, um im Gegenzug dafür das Recht einer Altersversorgung Theresienstadt zu erwerben.

Werner Scharff hatte es rechtzeitig geschafft, sich abzusetzen. Er war untergetaucht. Mit ihm in die Illegalität gingen seine von ihm getrennt lebende, aber ihm weiterhin verbundene Ehefrau Gertrud und seine Geliebte Fancia Grün. Scharff verfügte über ein Netzwerk an Kontakten über ganz Berlin verteilt, denn er plante, nicht nur sich und seinen Wegbegleiterinnen das Überleben im Untergrund zu sichern, sondern auch andere Illegale zu unterstützen. Noch glaubte er, dass dies nur für einen relativ überschaubaren Zeitraum all seine Kräfte in Anspruch nehmen würde. Scharff war überzeugt, dass der Zusammenbruch der Wehrmacht im Osten bevorstehe und damit das Kriegsende und der Sturz des NS-Regimes nicht mehr lange auf sich warten lassen würde. Nur wenige Monate, so kalkulierte ein, müssten sie im Untergrund noch durchhalten.

Scharff stieß bald auch auf Cioma und Ludwig Lichtwitz, die sich in der illegalen Werkstatt in Moabit eingerichtet hatten. Hier fälschte Cioma nun fast wie am Fließband, pro Woche bekam er von Dr. Kaufmann bis zu 20 Ausweise oder andere Papiere. Scharff zollte dem deutlich Jüngeren – er selbst zählte bereits 35 Jahre – Anerkennung ob seines Mutes und seiner Professionalität. Abseits seiner gefährlichen Arbeit wagte Cioma allerdings auch Dinge, die in seiner Situation eher zwischen verrückt und tolldreist anzusiedeln sind. Der 21-Jährige kaufte sich ein Segelboot, eine gebrauchte Jolle für 2000 Reichsmark. Das Holzboot lag am Stößensee, einer Ausbuchtung der Havel zwischen Spandau und Charlottenburg. Der Verkäufer der Jolle, die den Namen „Kamerad" trug, wundert sich noch, dass der junge Mann keinen blassen Schimmer vom Segeln hat, als er vom Ufer dessen ungeschickte Segelversuche beobachtete. Doch Cioma lernte schnell – nach einem Segelhandbuch aus dem KaDeWe – und kreuzte nun im Kriegssommer 1943 über den Wannsee. Regelmäßig am Wochenende oder nach Feierabend fuhr er hinaus, allerdings ohne seine Freunde Ludwig Lichtwitz und Werner Scharff: „Der Ludwig hat gesagt, ne da komm ich nicht mit raus. Da fahr ich nicht mit, da bleib ich lieber an Land, das ist schon gefährlich genug. Aber mich hat es gestärkt, das Segelboot", sinniert der alte Herr Schönhaus, als er an den Sommer 1943 zurückdenkt. Natürlich lud er auch Mädchen ein, mit ihm auf den Wannseetörn zu gehen. Und er dachte auch, dass er, sollte seine illegale Bleibe bei der Frau Schirrmacher auffliegen, zur Not im Segelboot versteckt für eine Weile untertauchen konnte. Wahrscheinlich war das Risiko, beim Segeln auf dem Wannsee kontrolliert und als illegaler Jude enttarnt zu werden, geringer als am Bahnhof Friedrichstraße.

Sich der ständigen Gefahr des Auffliegens bewusst, hatte sich Werner Scharff bewaffnet, um einer möglichen Verhaftung entgehen können. So war er immer mit einem geladenen Revolver im Hosenbund unterwegs. Obwohl er es besser wusste, machte er den Fehler, dass er immer wieder dort auftauchte, wo er Freunde und Bekannte hatte und einmal zu Hause war. Schon etwas mehr als vier Wochen nach seinem Abtauchen wurde ihm das zum Verhängnis: Am 14. Juli 1943 betrat er eine Telefonzelle am belebten Hackeschen Markt, wollte routinemäßig per Anruf überprüfen, ob die Luft rein ist. Ohne dass er es bemerkte, stellte sich ein Mann vor die Zelle. Als Scharff auflegte und die Tür öffnete, schaute er in den Lauf einer gezückten Dienstwaffe. Einer der Gestapo-Männer, der ihn aus der Deportationssammelstelle kannte, hatte Werner zufällig beim Telefonieren bemerkt. Scharff kam nicht mehr dazu, seine Waffe zu ziehen, wurde verhaftet und zur nächsten Gestapostelle in die Burgstraße gebracht. Dort entdeckten seine erstaunten Vernehmer den geladenen Revolver. Normalerweise hätte dies für ihn den sofortigen Transport nach Auschwitz bedeutet. Doch Scharff wurde *nur* nach Theresienstadt gebracht, was für einen bewaffneten Illegalen äußerst ungewöhnlich war. Die Unterlagen über den Deportationsbeschluss vom Juli 1943 sind später nicht mehr aufgetaucht, doch muss aus den Umständen gefolgert werden, dass er offenbar aufgrund seiner privaten Kontakte mit Nachsicht behandelt wurde.

Zusammen mit seiner Freundin Fancia Grün, die ebenfalls verhaftet wurde, kam er in das Gefängnis der schwer bewachten ehemaligen tschechischen Festung von Theresienstadt. Die einst als Garnison errichtete Anlage wurde während der österreich-ungarischen Kaiserzeit von maximal 7000 Soldaten als Unterkunft genutzt, nun lebten hier jüdische Gefangene zusammengepfercht unter unmenschlichen Zuständen. Es gab zum Teil keine Betten, die Menschen mussten dicht gedrängt nebeneinander auf dem Boden schlafen. Die Festung war Teil eines großen Konzentrationslagers, in dem 60-70.000 Menschen untergebracht waren, darunter sehr viele verstörte und verängstigte Ältere. Das von den Nationalsozialsten als Getto bezeichnete KZ diente auch als Durchgangslager für den Weitertransport in die Vernichtungslager.

Bei einem lange angekündigten Besuch einer Kommission des Internationalen Roten Kreuzes am 23. Juni 1944 wurde der Weltgemeinschaft von den Nationalsozialisten vorgegaukelt, dass es sich bei dem Getto Theresienstadt um eine jüdische Mustersiedlung handele. Dazu wurden vor dem Eintreffen der dreiköpfigen Gruppe mehr als 7000 meist alte, desorientierte Menschen kurzerhand nach Auschwitz abtransportiert. Um Platz zu schaffen für eine Inszenierung, die das ganze Ausmaß der deutschen Niedertracht vereinte: Man hängte Blumenkästen vor die Barackenfenster, ließ Kindergruppen Lieder einstudieren und wie zufällig singen, als der Besucherwagen vorbei fuhr. In der Getto-Bäckerei waren die Regale mit frischen Backwaren gefüllt. Es war eine perfide Heuchelei, die einzig den Zweck erfüllen sollte, die Welt darüber zu täuschen, was hier tatsächlich vor sich ging.

Eugen hoffte derweil, dass er bei den Horns das Ende des Krieges erleben werde. Er hatte sich eingerichtet. In einer Ecke konnte er sogar seine selbstgeschossenen Fotos entwickeln und dort auch Ruth in die Geheimnisse der Labortechnik einweihen. Hatte ihr gezeigt, wie aus einem belichteten Filmstreifen ein Negativ wird, das er mit einigen Chemikalien und etwas Wasser in ein Papierbild verwandelte. Groß war der Schock, als plötzlich alles vorbei war: Er war mit Ruth zu Hause, als ihre Eltern zurückkamen und sie hörten, wie sie in der Küche in einen erregten Streit gerieten.

Schnell schälte sich heraus, was geschehen war: Frau Horn hatte beim Metzger, den sie seit ewigen Zeiten kannte, durchblicken lassen, dass ihre regelmäßigen Bitten um Extrarationen einem jungen Mann zukämen, den sie bei sich aufgenommen hatten. Herr Horn war nun vom Metzger gefragt worden, ob sie einen jüdischen Jungen bei sich versteckt hielten. „Und dann war ein großes Geschrei zuhause, die Ruth hat ihre Mutter angebrüllt, der Alte, der Mann, hat seine Frau angebrüllt, warum kannst du nicht deine Klappe halten? Das war wirklich eine schlimme Schreierei, weil sie ihr den Vorwurf gemacht haben, zurecht, warum redest du soviel herum im Ort?! Und das war das Ende dieser schönen Zeit."

Eugen musste so schnell wie möglich verschwinden. Es gelang seinem Vater über die kommunistische ehemalige Reichstagsabgeordnete, die zu Eugens Geburtstag bei den Horns mit am Kaffeetisch saß, einen Mann zu finden, der Eugen mit in die nicht weit von Berlin gelegene kleine Industriestadt Luckenwalde zu nehmen versprach. Die Sache klappte, und kurz danach kam dieser Mann mit der Bahn und holte Eugen ab. Eugen hatte die letzten Monate nur unterbrochen von einigen Spaziergängen mit Ruth in der Nachbarschaft durchgängig bei den Horns in Haus und Garten verbracht, das harte Großstadtleben schien in weite Ferne gerückt. Nun spürte er zum ersten Mal wieder, wie gefährlich seine Lage war. Als sie eine belebte Straße in Schöneberg auf dem Weg zur S-Bahnstation entlangliefen, klopfte Eugens Herz bis zum Hals. Er mied die Blicke der ihm entgegenkommenden Menschen, folgte dem vor ihm hergehenden unbekannten Mann in dichtem Abstand. Er ahnte, dass er als 17-jähriger junger Mann in Zivilkleidung – fast alle Gleichaltrigen waren in irgendeiner Uniform unterwegs – für Aufsehen sorgte. Eugen Friede erinnert sich viele Jahre später: „Da hab ich Angst gehabt, man darf nicht vergessen, damals gab es keine jungen Männer, die keine Uniform anhatten. ... und dann gab es ja ständig Kontrollen. Das war das erste Mal, dass ich wieder auf die Straße gegangen bin, nach langer, langer Zeit. Und ich habe vermieden, irgendwelchen Menschen ins Gesicht zu gucken. Hab mich nach Möglichkeit immer an die Häuserwände gehalten bis zum Bahnhof. Und von da an in die S-Bahn."

„Zu dem Zeitpunkt gab es keine Jugendlichen oder Männer in meinem Alter, die keine Uniform hatten. Entweder sie waren Soldaten, oder sie waren im Arbeitsdienst, oder sie hatten eine HJ-Uniform, irgendeine Uniform."

In der S-Bahn setzte er sich einige Bänke getrennt von dem schlanken, etwa 35-jährigen Mann hin. Schaute anscheinend unbeteiligt aus dem Fenster der aus Berlin hinausfahrenden S-Bahn und war mehr als erleichtert, als sie schließlich ohne Fahrscheinkontrolle in Luckenwalde in der Dämmerung ankamen. In der Dunkelheit erreichten sie das kleine, ja winzige Reihenhäuschen der Familie Winkler. Als sie eintraten, sah Eugen, dass er bereits erwartet wurde. Ein Bett war für ihn auf dem Wohnzimmersofa gemacht, auf dem Tisch lagen geschmierte Stullen. Hier lebten Hans Winkler und seine Frau Frieda mit ihren Kindern, der elfjährigen Tochter Ruth und dem 16-jährigen Sohn Horst. Diese Familie nahm einen ihnen unbekannten jüdischen Jungen bei sich auf, obwohl sie kaum Platz für sich selber hatten. Hans Winkler hatte sich als junger Mann bei einem Unfall mehrere Finger schwer verletzt und galt deshalb als nicht wehrdiensttauglich. Er arbeitete beim Amtsgericht in Luckenwalde als kleiner Justizangestellter, einer, der Akten zusammenstellte und diese mit Schiebewagen Richtern und Anklägern in ihre Zimmer brachte. Hans Winkler war ein überzeugter Gegner des Nationalsozialismus, denn er hatte mit eigenen Augen gesehen, wie menschenverachtend die Nationalsozialisten mit Kritikern verfuhren: Direkt nach der Machtergreifung der Nazis musste Winkler im Amtsgericht als Protokollführer den Verhören von Oppositionellen durch SA-Männer beiwohnen. Er erfuhr, mit welch grausamen Foltermethoden Geständnisse erpresst wurden, und es empörte ihn, dass Menschen, nur weil sie der SPD oder der KPD angehörten und eine andere Meinung vertraten, brutal zusammengeschlagen wurden. Gegen dieses verlogene, grausame und zynische Regime wollte er etwas unternehmen. Er knüpfte Kontakte zu Kreisen in Berlin, die Widerstand gegen Hitler organisierten oder jüdischen Verfolgten halfen. So war er sofort bereit, den 17-Jährigen aus Berlin zu sich zu holen. Winkler und seine Frau schärften ihren Kindern ein, dass sie kein Wort über Eugens wahre Identität draußen verlauten lassen dürfen. Selbst die elfjährige Ruth begriff, dass Eugens Leben gefährdet wäre, sollte sie in der Schule etwas von seinem Aufenthalt bei ihr zu Hause ausplaudern. Eugen spürte diese zutiefst warmherzige Hilfe dieser Menschen, die selbst nicht viel besaßen, aber alles zu teilen bereit waren. Er fühlte sich sicher bei ihnen. Als der gleichaltrige Horst ihm spontan anbot, dass er dessen eigene, von ihm verschmähte HJ-Uniform tragen dürfe, nahm Eugen das Angebot sofort an. Nun konnte er sogar auf die Straße gehen in

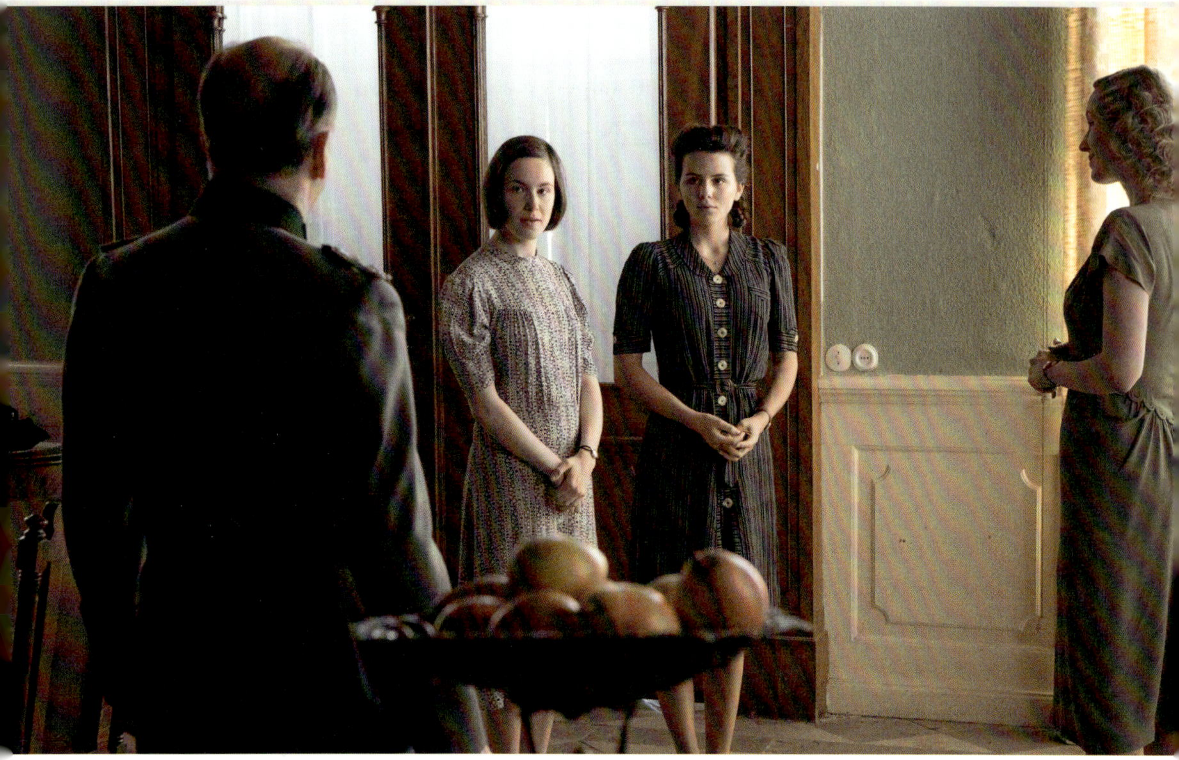

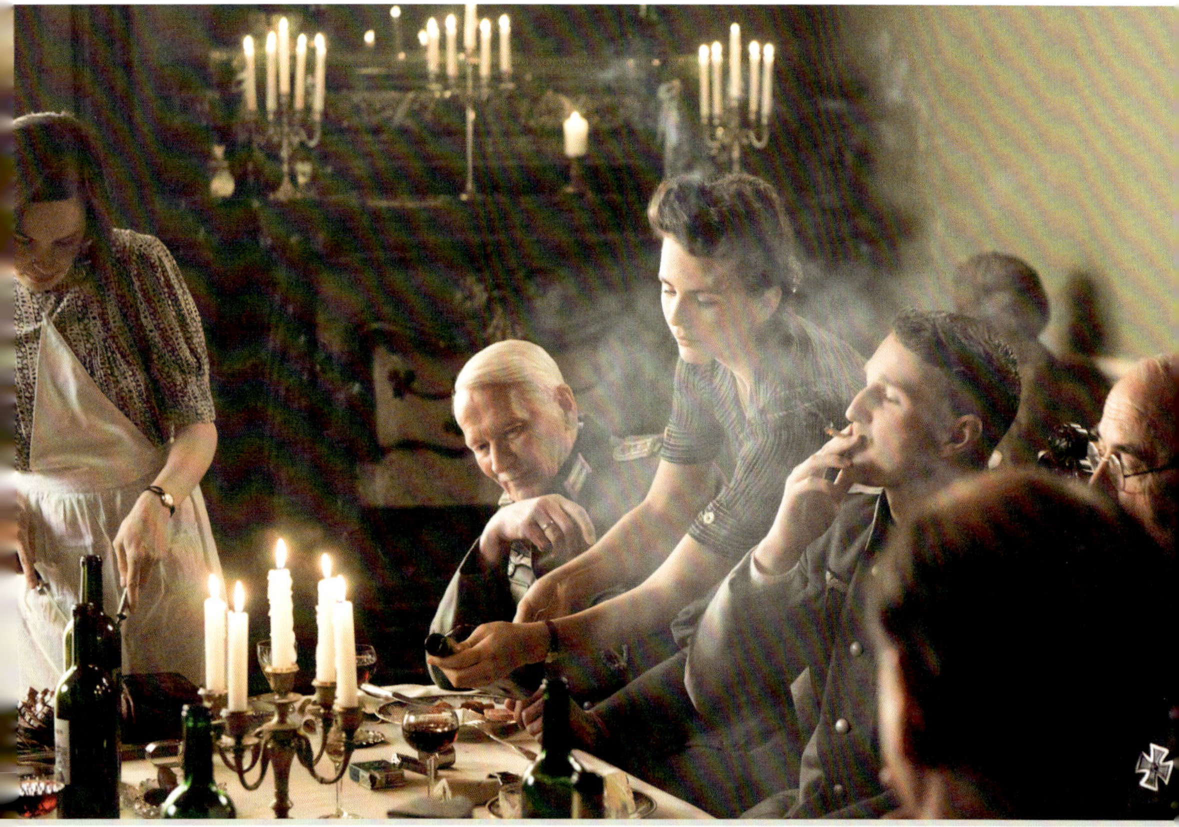

Luckenwalde. Aber noch fast zwei Jahre würden vergehen, bis Eugen endlich wieder auftauchen durfte.

Ellen hatte auf verschlungenen Wegen erfahren, dass in Schöneberg, im Bayerischen Viertel, eine Familie ein Kindermädchen und eine Haushaltshilfe suchte. Für die bessergestellten Kreise Berlins wurde es mit Fortschreiten des Krieges fast unmöglich, junges, deutschsprachiges Dienstpersonal zu finden. Meist bewarben sich Personen jenseits des waffenfähigen Alters oder Fremdarbeiter aus Italien, Frankreich, Holland oder Belgien. So war Frau Wehlen froh, als die beiden jungen Frauen bei ihr klingelten. Fragen stellte sie nicht, sie ging davon aus, dass Ruth und Ellen, die andere Namen gebrauchten, aus welchen Gründen auch immer nicht zur Arbeit in die Kriegswirtschaft mussten. Die Wehlens hatten zwei kleine Kinder und eine große Berliner Wohnung mit neun oder zehn Zimmern, sodass Frau Wehlen sich freute, endlich Hilfe zu haben. Einen Schreck bekamen Ruth und Ellen jedoch, als Frau Wehlen ihren Mann herbeirief. Plötzlich stand in tadelloser Uniform ein Wehrmachtsoffizier im Salon. Er war Oberst des Ersatzheeres, also eine der Personen, die für Verteidigungszwecke in Berlin abkommandiert waren. Der Krieg war inzwischen auch nach Berlin gekommen. Seit dem Spätsommer nahmen die britischen Bomberverbände zunehmend die Reichshauptstadt ins Visier. Immer öfter erschallten nachts die Warnsirenen, die vom Anflug alliierter Flieger kündeten. Den so aus dem Schlaf gerissenen Berlinern blieb nicht lange Zeit, sich etwas überzuwerfen und in einen der nahegelegenen Bunker oder in den eigenen Keller zu hasten. Dort saß man dann und wartete, ob die Geräusche von einschlagenden Brandbomben näher kamen. Saß in klammen Kellerverschlägen im Licht von Öllampen und versuchte, die aufkommende Angst vor einem Treffer zu unterdrücken. Schreckliche Geschichten kursierten: Von Häusern, die zusammengestürzt waren, und von verschütteten Kellern. Dass für die dort Eingeschlossenen jede Hilfe zu spät kam.

S. 94: Ruth und Ellen als Haushaltshilfen bei dem Wehrmachtsoffizier Wehlen

Mit der Kinderlandverschickung in sichere Gebiete hoffte die NS-Führung, den Druck auf die Bevölkerung abzuschwächen. Immer mehr Mütter mit Kindern verließen die Stadt. Auch Frau Wehlen war mit ihren Nerven am Ende und froh, als sie mit ihren Kindern zu Verwandten fahren konnte. Ruth und Ellen blieben bei dem Wehrmachtsoffizier, denn der hatte nach der Abreise seiner Frau damit begonnen, abends Kameradschaftsabende und Partys zu veranstalten. Am nächsten Morgen brachten sie dann die Wohnung wieder in Schuss, und so war für sie weiterhin genug zu tun.

Eugen nannte Frau Winkler völlig selbstverständlich bald Tante Frieda. In der Nachbarschaft hieß es, er sei ein Cousin der Familie und von ihnen aufgenommen worden, weil seine Eltern ausgebombt sind. Der eskalierende Krieg und seine vor ihm aufs Land oder in entlegene Gebiete geflüchteten Volksgenossen hatten ein für die Untergetauchten günstiges Durcheinander geschaffen. Eugen wirkte völlig unauffällig, lief ständig in Horsts HJ-Uniform herum. So verbrachte er seine Zeit bei den Winklers und glaubte wieder fest daran, dass er die ganze Sache unbeschadet überstehen würde. Tatsächlich lag Luckenwalde mit seinen knapp 28.000 Einwohnern im Windschatten der nahegelegenen Hauptstadt, in der es von Uniformierten nur so wimmelte. Eines Abends, es war im September 1943, saß Eugen in der Wohnküche der Winklers, spielte mit Horst, Ruth und Tante Frieda irgendein Brettspiel, als es plötzlich klopfte. Für Eugen das Alarmzeichen, sich zu verstecken. Er hastete ins Schlafzimmer nach nebenan und konnte von dort durch den Türspalt beobachten, dass Frieda Winkler öffnete und zwei Personen hereinließ, deren Anblick er sein Leben lang nicht vergessen würde: Der Mann und die Frau waren völlig durchnässt, ihre Kleidung sah mitgenommen aus, sie sprachen leise und wirkten angespannt. Er hörte, dass sie auf Vermittlung eines mit der Familie befreundeten jüdischen Berliners zu ihnen gekommen seien. Dieser Mann habe ihnen gesagt, sie könnten sich an Herrn Winkler wenden, wenn sie Hilfe bräuchten. Frieda Winkler bat sie zu warten, während Horst und die kleine Ruth die Besucher bestaunten. Kurz danach kam Winkler zurück. Die beiden erzählten, wieso sie in einem derart bemitleidenswertem Zustand bei ihnen eingekehrt waren: Sie waren kurz zuvor aus Theresienstadt geflohen. Winklers Adresse hatte ihnen dort ein anderer Häftling gesteckt, ein Freund von Winkler, Günther Samuel. Samuel konnte selbst nicht flüchten, da er mit Frau und ihrem kleinen Jungen dort eingesperrt war. Winkler und seine Gefährtin hatten sich eine Woche lang, immer nur nachts, zu Fuß von Theresienstadt an Dresden vorbei bis nach Luckenwalde durchgeschlagen.

Der Mann, der aus dem schwer bewachten Konzentrationslager entkommen war, hieß Werner Scharff. Gleich nachdem er dorthin gebracht
worden war, hatte er begonnen, Fluchtmöglichkeiten auszukundschaften.
Das war mehr als gefährlich, denn Fluchtversuche wurden sofort mit
dem Tod bestraft. „Eine Wahnsinnstat – aus Theresienstadt war insgesamt nur drei Deutschen die Flucht gelungen", erzählt uns Eugen Friede
im Interview. Er erinnert sich, dass, nachdem Scharff von Tante Frieda
eine Suppe vorgesetzt bekommen hatte, dieser berichtete, was sich im
angeblichen Altersgetto abspielte. „Da hab ich zum ersten Mal gehört,
was sie mit den Juden machen, die in den Osten gebracht werden. Dass
die, die nach Theresienstadt kamen, sobald das Lager zu voll war, weiter
nach Auschwitz transportiert wurden." Die Leute hätten schreckliche
Angst, auf den ausgehängten Transportlisten aufzutauchen, denn sie
wussten, was sie in Auschwitz erwartete. „Da hab ich den Werner Scharff
gefragt: Was machen die mit den Juden in Auschwitz? Und da hat er
gesagt, dass die alle umgebracht werden. Dass sie vergast werden, zu
Tausenden, zu Zehntausenden, ja zu Hunderttausenden. Ich konnte
mir das alles nicht vorstellen und hab gefragt, warum? Man hat ihnen
doch schon alles abgenommen, warum bringen die Nazis sie dann noch
um? Ja, weil das ihre Weltanschauung ist. Dass die Juden an allem Übel
schuld sind und man sie daher umbringen muss."

> „Da hab ich zum ersten Mal gehört, was sie mit den Juden machen,
> die in den Osten gebracht werden."

Die Verhaftung Werner Scharffs hatte Cioma das enorme Risiko
verdeutlicht, dem er ausgesetzt war. Über Wochen rechneten er und
Ludwig Lichtwitz damit, dass Werner unter der Folter zusammenbrechen
und alles, was er wusste, der Gestapo preisgeben würde. Sie warteten
zunächst ab, ob sie oberserviert würden, wagten dann aber, als alles
ruhig blieb, wieder die Werkstatt zu benutzen. Doch der Druck wurde
von Tag zu Tag größer, je länger die Illegalität dauerte. Vor allem der
jüdische Fahndungsdienst wurde zum Alptraum der Untergetauchten.
Wurden bei denen gefälschte Papiere gefunden, setzte die Gestapo alles dran, herauszufinden, wie sie sich diese hatten beschaffen können.
Schnell war der Gestapo klar, dass es im Untergrund einen handwerklich

versierten und auch bei seiner eigenen Tarnung äußerst geschickt und vorsichtig agierenden Fälscher gab. Cioma wusste, dass er der vielleicht meistgesuchte Mann der Gestapo in Berlin war. Auch Dr. Kaufmann war klar, an welch seidenem Faden seine Existenz und die seiner Mitstreiter hing. Kaufmann forderte seinen so unbekümmert auftretenden Passfälscher immer wieder auf, besonders vorsichtig und umsichtig zu agieren. Doch andererseits waren es Ciomas jugendliche Unbekümmertheit und seine Abenteuerlust, die ihn mit einer besonderen, Gefahr abwendenden Aura umgaben. Weiterhin verkehrte er in den wenigen im Krieg noch geöffneten besseren Restaurants, hatte er genug Bargeld, um sich hier Essen ohne Bezugsscheine leisten zu können. Doch seine Sorglosigkeit ließ ihn auch Fehler machen. Ein erster Fauxpas widerfuhr ihm, als er ein knappes Dutzend Ausweise von Dr. Kaufmann, eingelegt in eine Tageszeitung, auf seinem Schreibtisch in der Fälscherwerkstatt liegen ließ. Als er von einer kurzen Besorgung zurückkehrte, war die Zeitung samt Ausweisen verschwunden. Ludwig Lichtwitz, der keine Ahnung hatte, was sich in der Zeitung eingeschlagen befand, hatte sie zum Anheizen ihres Kanonenofens benutzt. Als Cioma Kaufmann sein fatales Missgeschick zu beichten versuchte, schlug ihm Unglaube und Misstrauen entgegen. Kaufmann und auch Helene Jacobs vermuteten, dass der 21-Jährige die Dokumente auf anderen Wegen zu Geld gemacht hätte. Dass er sie auf dem Schwarzmarkt verkauft haben könnte, statt sich mit den Lebensmittelcoupons zu begnügen, die er von Kaufmann dafür bekam.

„Das hat mich sehr getroffen – den Kaufmann habe ich sehr verehrt. Und wenn man dann von so jemand einen so verachtenden Blick erhält, das ist sehr unangenehm."

Doch was sollten sie tun? Dem ehemaligen Regierungsrat und seiner christlichen Helferin blieb keine andere Wahl, als Cioma seine Beteuerung abzunehmen, dass die Ausweise versehentlich verbrannt waren. Für ihre Hilfsorganisation blieb der junge Fälscher von unverzichtbarem Wert. Gut gemachte Personalpapiere wurden zum alles entscheidenden Kriterium fürs Überleben in Nazideutschland, und so stieg die Nachfrage. Wie einst Untergetauchte berichteten, lockte dies leider auch zwielichtige Gestalten an, Profiteure, die die Not anderer ausnutzten und sie betrogen.

Nachdem Kaufmann Cioma wieder mit neuen Originalpapieren bestückt hatte, setzte er seine Arbeit in der Fälscherwerkstatt fort. Trotz
seines geradezu tolldreisten Lebensstils mit Segelboot und regelmäßigen
Besuchen in teuren Restaurants und Hotels, machte er sich allerdings
keine Illusionen über das Risiko seines Tuns. Auf die Frage, wie ihm
damals zumute gewesen ist, antwortet der alte Herr Schönhaus im
Interview, dass ihm durchaus klar war, dass sich mit jedem Ausweis
die Gefahr, erwischt zu werden, multiplizierte. Dennoch hörte er nicht
auf. „Es war Adrenalin pur, ich war wie *high*, es hat mir später nie wieder eine Arbeit so Spaß gemacht wie da. Manchmal staune ich selbst
nachträglich darüber, aber ich kann nur sagen: So wars!"

Oberst Wehlen wusste inzwischen, so erzählt Mrs. Gumpel, dass
er zwei untergetauchte jüdische Mädchen bei sich beschäftigte.
Dies ist umso bemerkenswerter, da Wehlen die beiden jungen Frauen
auch für private Feiern engagierte, und das konnte für ihn selbst höchst
gefährlich werden. Oberst Wehlen verkaufte in seiner Wohnung Delikatessen, betätigte sich sozusagen als Schwarzmarkthändler. Er bot
aus Frankreich illegal beschaffte, also geraubte Lebensmittel Wehr-
machtskollegen an. Auch wenn darauf die Todesstrafe stand, vertraute
Wehlen offenbar seinen guten Kontakten in der Wehrmachtsführung.

Bis heute hält sich der Mythos, dass Nazideutschland zwar eine grausame Vernichtungspolitik
zu verantworten hat, ansonsten im Land aber Recht und Ordnung herrschten. Tatsächlich
wurden nur die kleinen Betrüger und Schwarzmarkthändler bestraft, die großen blieben un-
berührt. Das NS-Regime war hinter der Fassade von Rechtschaffenheit ein zutiefst korruptes
System. Von der Ausplünderung der Juden über die Zuteilung von Geld-, Immobilien- und
Grundstücksdotationen Hitlers an seine Mittäter bis hin zu geduldeten Schwarzmarktge-
schäften. Entscheidend war, nicht in Ungnade zu fallen. Ansonsten raubten Gestapo, SS und
auch Verwaltungsbeamte, was sich ihnen in den besetzten Gebieten bot.

Mrs. Gumpel erzählt davon, wie erstaunt sie und Ellen waren, als sie
zu der ersten Kameraden-Verköstigung bei Oberst Wehlen erschienen.
Herr Wehlen hatte in seiner Speisekammer Delikatessen gestapelt, die
selbst in Friedenszeiten in Deutschland schwer zu beschaffen gewesen

waren: Pasteten, Wurst, Geflügel, dazu teure Rotweine, deren Etikett sofort die Herkunft verriet. Es handelte sich um französische Produkte. Oberst Wehlen hatte die im besetzten Frankreich beschlagnahmten Getränke und Speisen über seine Kontakte zu höheren SS- und Wehrmachtsfunktionären bezogen.

Abends nun erschienen in seiner Wohnung am Bayerischen Platz ausgewählte Runden höherer Wehrmachts- und SS-Angehöriger, die all die edlen Raritäten probierten und dann kartonweise Weine und Pasteten kauften. Während dieser feucht-fröhlichen Verköstigungen mit Chansons vom Grammophon servierten die zwei Jüdinnen den Uniformierten die Gaben des Hauses. Mrs. Gumpel schmunzelt, als sie sich dieser Gelage erinnert. „Wir haben die Sachen auch zubereiten müssen und anschließend servieren. Als die Herren dann langsam betrunken wurden, mussten wir sehr flink auf den Beinen sein. Herr Wehlen hat dann zu ihnen gesagt: Hört mal: Das sind bessere Damen, lasst die Finger weg. Hinterher haben wir natürlich darüber gelacht. Das war auch wieder eine Situation, die uns wahnsinnig ulkig vorkam, hätte aber auch gefährlich sein können." Wehlen stellte sich nicht nur vor seine Haushaltshilfen, sondern unterstützte sie auch. Nach den abendlichen Partys durften sie sich meist etwas zu essen mitnehmen. So fuhren sie spät abends nach Kreuzberg, wo ihr Bruder Jochen immer noch in der Werkstatt arbeiten und auch schlafen durfte. Sie und Ellen saßen in der U-Bahn mit ihren Witwenschleiern und hatten manchmal sogar einen Topf mit Suppe dabei, der bei Wehlen übrig geblieben war. Es war ein Glücksfall für sie alle, auf diese Weise mit Lebensmitteln versorgt werden zu können.

> **Kaum jemand vermochte der Folter zu widerstehen, und die Geheimdienste waren angewiesen, bei einem Verhör die Folter sofort anzuwenden.**

Nicht zu unterschätzen sind die Risiken, die der Oberst einging, indem er zwei Jüdinnen bei sich beschäftigte. Er musste davon ausgehen, dass Ruth und Ellen, wenn sie als Untergetauchte erwischt worden wären, ihn hätten benennen können. Kaum jemand vermochte der Folter zu widerstehen, und die Geheimdienste waren angewiesen, bei einem Verhör die Folter sofort anzuwenden. Widerstandsgruppen organisierten ihre Arbeit deshalb so, dass jeder einzelne nur über ein begrenztes Wissen verfügte, mithin bei der Verhaftung nicht die ganze Organisation gefährden konnte. Wehlen wird gewusst haben, was er tat und wäre, wenn sich seine Spur nach dem Krieg nicht verlaufen hätte, vielleicht auch für seine Hilfe später geehrt worden.

Irgendwann im Spätsommer 1943 passierte Cioma zum zweiten Mal ein fatales Missgeschick: Er ließ seine Tasche in der S-Bahn stehen. Samt einiger Ausweispapiere sowie seiner Brieftasche mit eigenem Pass und aktuellem Lichtbild. Er eilte zu Kaufmann, berichtete ihm davon. Kaufmann versuchte als erstes herauszufinden, ob eine Tasche, die auf Ciomas Beschreibung passte, beim Fundamt der Berliner Verkehrsbetriebe gelandet war. Und ob sie von dort bereits ihren Weg zur Gestapo genommen hatte. Über noch bestehende Kontakte zu offiziellen Stellen in Berlin rief Kaufmann ehemalige Kollegen an und erhielt bald Gewissheit. Die Gestapo wusste nun, wer Ausweise für illegale jüdische Berliner manipulierte.

Sie hatte bereits einen Fahndungsaufruf samt Steckbrief angefertigt. Auf diesem Steckbrief mit Ciomas Passbild, der im September 1943 an öffentlichen Litfaßsäulen und in U-Bahnhöfen aushing, wurde die Bevölkerung zur Jagd nach dem jüdischen Passfälscher aufgerufen. Aus Ciomas erhalten gebliebener Gestapoakte geht hervor, dass die Gestapo auch bei seiner Zimmervermieterin erschienen war und die ahnungslose Frau Schirrmacher in die Enge getrieben hatte. Die allerdings fiel aus allen Wolken, als sie erfuhr, dass der nette Herr Schönhausen – so nannte sich Cioma bei ihr – sich als jüdischer Passfälscher mit dem Tarnnamen Günther Rogoff entpuppte. Die Beamten begriffen schnell, dass die Frau auch von Cioma genarrt worden war. Sie schäumten vor Wut, als sie in seinem Schrank lediglich ein Handbuch fanden – eine Anleitung für Hobbysegler. Die Durchsuchung ist aktenkundig – nicht überliefert ist jedoch, welcher Kollegen-Spott sich über Ciomas Verfolger ergoss, als kurz danach sein Segelboot gefunden wurde. Rätselhaft wird den gefoppten Ermittlern auch gewesen sein, dass alle Taue und Stricke des Holzbootes fehlten.

Der Wasserfreund blieb ausgeflogen. Cioma war bei Helene Jacobs untergeschlüpft. Die engagierte Mitstreiterin der Bekennenden Kirche wohnte im Südwesten Berlins in der Bonner Straße 2 in Berlin-

Wilmersdorf, nicht weit vom Südwestkorso. Die 37-Jährige lebte allein im 5. Stock eines Mietshauses. Cioma hoffte, dass dies angesichts des immer intensiveren, nächtlichen Bombardements durch die Royal Air Force sein letztes Berliner Versteck sein würde. Allzu lange sollte es nicht mehr dauern, sinnierte er, da er nun keinen Tag mehr auf der Straße verbringen durfte, wie ihm Kaufmann einschärfte. Bei Helene Jacobs bearbeitete er nun weitere Pässe für Untergetauchte, machte sich nützlich, kochte für sie. Zusammen lauschten sie – wie viele Deutsche mittlerweile – den BBC-Nachrichten, um eine realistische Einschätzung der Kriegsentwicklung zu bekommen. Sie erfuhren, dass auch im Osten die Wehrmacht in die Defensive geraten war, ganze Verbände sich im chaotischen Rückzug vor der Roten Armee befanden. Zudem verstärkten die Alliierten ihre Bombenangriffe auf die Hauptstadt. Da Helenes Wohnung unter dem Dach lag und Cioma nicht runter zu den anderen in den Luftschutzkeller durfte, überlegte er, was er machen könnte, falls ein Treffer durch das Dach schlägt und das mit Holz versehene Treppenhaus sich in ein brennendes Inferno verwandelt. „Da hab ich gedacht, wäre blöd, wenn es hier oben im 5. Stock brennt. Und da hat der Ludwig von meinem Segelboot die Seile geholt. Damit ich mich damit zur Not abseilen könnte." Cioma erzählt uns, dass er und Helene nachts ausprobierten, ob das zusammengeknotete Tau bis zum Hof hinabreichte.

All das zeugt von starken Nerven, und die hatte Cioma offensichtlich, wie auch die folgende Episode zeigt. Um in sein Versteck bei Helene Jacobs zu kommen, hatte er von der Werkstatt in Moabit mit dem Bus quer durchs verdunkelte, nächtliche Berlin fahren müssen. Mit Ludwig saß er im fast leeren, oberen Stock des Berliner Doppeldeckers. Sie fuhren in Richtung Savignyplatz, als ein weiterer Fahrgast einstieg und sich oben, an ihnen vorbei entlang hangelnd, ganz nach vorne setzte. Ein älterer Mann mit Aktentasche, der offenbar im Vorbeigehen glaubte, jemanden erkannt zu haben. Wiederholt drehte er sich nach den beiden Jüngeren um, „und dann steht der Typ auf und kommt auf die Bank hinter uns und setzt sich da. Und fragt: Wem gehört die Tasche da?– Ich sage: mir – Er: Gehört ihr beide zusammen? Ich sage: Was geht sie das überhaupt an? Ganz ruhig Junge. Wo fahrt ihr überhaupt hin? Ludwig wird schneeweiß, wie ein Handtuch, und ich denke mir. So jetzt ist Endstation! Hier kommst du nicht mehr raus... Und ich kombiniere: Was ist das für einer? Ein älterer Kriminalbeamter, sicher so 62, 63 Jahre, und er erlebt zum ersten Mal in seiner Laufbahn, dass er einen steckbrieflich gesuchten Verbrecher vor sich hat, und jetzt rumort es in seinem Kopf, was er machen muss, damit er keinen Fehler begeht. Und in dem Moment steht der Ludwig auf, und der Schaffner sagt: *Savignyplatz aussteigen,* und der Kripo-Typ steht auch auf, fixiert mich aber und geht rückwärts hinter dem Ludwig her, und beide steigen die Treppe runter. Und ich dachte mir: Oh, bis hierher hatte ich nur die Hoffnung der Seidenkrawatte in meiner Hosentasche, mit der ich in den Himmel flüchten konnte, aber nun ergibt sich vielleicht doch noch eine Rettung: Was wird der Mann machen? Er wird unten hinter der Treppe warten oder er geht mit raus und verhaftet den Ludwig. Was muss ich jetzt machen? Meine Tasche umhängen und dann ganz langsam die Treppe runter, kein Geräusch, denn ich muss damit rechnen, dass der Typ unter der Treppe steht. Das tat ich dann auch. Dann wartete ich, bis der Autobus sich einer Kurve näherte, der musste ja langsamer fahren, und da bin ich abgesprungen. Nicht hingeflogen und dann gerannt wie ein Hase, zick zack immer einen Haken geschlagen und zum Schluss in einem Hauseingang mich versteckt. Und da hab ich auf die Straße geguckt, durch das Verdunklungsloch in der Hoffnung, dass mir keiner nachgerannt ist, und es kam auch niemand. Und dann bin ich zu Fuß zu Helene und hab dort Kaffee getrunken. Und dann kam der Ludwig und ich frage: Und? Und er sagt ganz trocken, dass der Typ unter der Treppe stehen geblieben ist."

Cioma mochte sich zwar durch starke Nerven auszeichnen und über einen gewissen, seiner Jugend geschuldeten Leichtsinn verfügen, schätzte das Bedrohliche seiner Lage jedoch sehr realistisch ein. Er war sich durchaus darüber im Klaren, was auf ihn zukommen würde, wenn er der Gestapo in die Hände fallen sollte. Die Seidenkrawatte, die er in seiner Geschichte erwähnt, hatte er in der Kleidung versteckt, um nach einer Verhaftung sofort Selbstmord zu verüben. Dazu war er fest entschlossen. Dem Abenteurer war bewusst, dass kaum ein Mensch bei tagelanger bestialischer Folter durch die Gestapo schweigen kann.

Alle auf Unterdrückung und Ausschaltung des Gegners gedrillten Sicherheitsdienste wissen, wie sie ihre Opfer malträtieren und zum Sprechen bringen können. Und sie wissen, wie selten jemand dieser Tortur widersteht. Einer, der nicht zum Reden zu bringen ist, kann bei seinen Peinigern eine Art schaurigen Respekt herausfordern.

Werner Scharff könnte so einer gewesen sein. Er hatte Cioma und die Werkstatt nicht preisgegeben. Womöglich ist dies auch eine Erklärung dafür, dass ihn Walter Dobberke nach der Verhaftung mit einer Waffe in der Hand nicht nach Auschwitz in den sicheren Tod, sondern nach Theresienstadt deportieren ließ.

Nur wenige Tage nach dem Auftauchen Werner Scharffs und seiner Freundin in Luckenwalde wurde klar, dass er sich hier nicht verstecken würde. Er fuhr sofort nach Berlin und traf andere Illegale. Scharff wollte etwas gegen das Regime unternehmen, obwohl er, geflohen aus Theresienstadt, extrem gefährdet war. Ein außergewöhnlicher Mann, wie Eugen Friede spürte. Einer, der mit seinem Mut und seiner Begeisterung andere mitzureißen vermochte. Im Oktober 1943 wurde Eugen Zeuge, wie Scharff bei Familie Winkler dazu aufforderte, aktiven Widerstand zu leisten. Juden bei sich verstecken, sei schön und gut, so Scharffs Appell, aber man müsse den Menschen im Land, den Millionen ahnungslosen Deutschen die Augen öffnen, berichten, was in ihrem Namen im Osten geschehe. Dem deutschen Volk müsse klar gemacht werden, dass Hitler ein Verbrecher ist, der, obwohl er weiß, dass der Krieg nicht zu gewinnen sei, dennoch weiterkämpfen lässt. Ungeachtet der vielen Opfer, die dieser Krieg fordere. Zugleich verlängere dies das unvorstellbare Leid der Menschen in den Konzentrationslagern und der zur Vernichtung bestimmten Juden aus ganz Europa. Nur wenn die Bevölkerung Hitler die weitere Unterstützung versage, könne es zum Ende des Krieges kommen. Scharff glaubte, so erzählt es Eugen Friede, dass es zu einem Aufstand der Bevölkerung käme, sobald diese über das Ausmaß der Katastrophe und der drohenden Konsequenzen aufgeklärt würde. Werner Scharff konnte Hans Winkler dafür gewinnen, eine Widerstandsgruppe aufzubauen. Der sprach Freunde aus dem Ort an, von denen er glaubte, dass sie mitmachen würden. Zwanzig Leute taten sich dann zusammen zu einer Gruppe, die sich den Namen „Gemeinschaft für Frieden und Aufbau" verlieh. Nichtjüdische und jüdische Deutsche aus Berlin und Luckenwalde. Alles ganz einfache Menschen, die sich auch von den dabei vom Naziregime ausgehenden Gefahren nicht schrecken ließen – wie der Besitzer der nahegelegenen Bahnhofskneipe Paul Rosin, ein Bäcker und ein Metzger aus Luckenwalde, ein Drucker. Sogar der Pächter der Kantine für die Wachmannschaft eines nahegelegenen Kriegsgefangenenlagers,

Michael Schedlbauer, schloss sich der Gruppe an. Mit dabei auch der 17-jährige Eugen. Winkler hatte den Untergetauchten zu wichtigen konspirativen Treffen sicher mitgenommen, um seinem Anliegen besondere Wirkung zu verleihen. Eugen Friede erinnert sich im Interview daran, wie er und Winkler sich auf den Weg zum Lager bei Luckenwalde machten. Winkler marschierte mit dem 17-Jährigen in Hitler-Jugend-Uniform an den Wachposten vorbei ins Kriegsgefangenenlager. „Wahnsinn! Ich als Jude in einer HJ-Uniform im Kriegsgefangenlager, um den Kantinenwirt zur Mitarbeit in der Widerstandsgruppe zu bewegen. Das war ein absoluter Wahnsinn, wenn man das heute überlegt. Und ich hab noch gedacht, wenn meine Mutter jetzt wüsste, wo ich jetzt bin, die würde den Winkler in der Luft zerreißen, dass er mich da mitgenommen hat. Und dann sind wir da angekommen bei dem, der hat uns Würstchen und Bier auf den Tresen gestellt, und als Winkler ihm gesagt hat, was wir vorhaben, hat der sofort Lebensmittelmarken rausgesucht. Zudem hat er ein Portemonnaie rausgeholt und uns soundsoviel Geld als seinen Einstand mitgegeben. Wahnsinn!"

Werner Scharff gelang es zeitgleich, in Berlin versteckt lebende Juden zur Mitarbeit zu bewegen, das jüdische Ehepaar Ilse und Gerhard Grün, seine von ihm getrennt lebende Ehefrau Gertrud sowie einen untergetauchten jüdischen Zahnarzt, Dr. Joachim. Sie beschlossen, ein Flugblatt zu entwerfen und tausendfach in Umlauf zu bringen; einer der Luckenwalder verfügte über ein Matrizengerät für die Vervielfältigung. Insgesamt stellten sie drei Aufrufe zum Widerstand her und verteilten sie. Zwei dieser historischen Aufrufe, Hitler zu stürzen, sind erhalten geblieben. Unter der Überschrift „Wir klären auf!" rufen sie den Soldaten zu, ihre Waffen niederzulegen und fordern das deutsche Volk auf, sich gegen ihre Unterdrücker zu erheben: „Das deutsche Volk rufen wir jetzt zum aktiven Widerstand auf", denn „der von der Vorsehung verlassene Führer und seine Befehlshaber führen den aussichtslosen Kampf nur weiter, um ihr eigenes Leben zu verlängern und ohne Rücksicht darauf, dass täglich Tausende Soldaten sinnlos verbluten ... Ganze Städte werden von den Bombern an einem Tage in Schutt und Asche gelegt, ganze Familien ausgerottet. Das deutsche Volk wird zu Bettlern, wenn diesen Verbrechen nicht sofort Einhalt geboten wird!" texteten Scharff und Winkler.

Die Flugblätter sollten in Kuverts verpackt und verschickt werden, jeweils verbunden mit der Aufforderung, sie weiteren zehn Personen zum Lesen zu geben. Der rastlose Werner Scharff besorgte Adressen aus ganz Deutschland auf Berliner Postämtern, riss ganze Seiten aus Telefonbüchern heraus. Für das Porto konnte einer der Mitverschwörer in Luckenwalde einen Porto-Frei-Stempel aus einer Behörde organisieren. So saßen sie nächtens zusammen vor Stapeln von Flugblättern, falteten und tüteten ein, versahen die Briefe mit Adressen und hauten zum Schluss einen Stempel mit Reichsadler aufs Kuvert, das den Schriftzug trug: Frei durch Reich – also nicht mit Briefmarke bestückt werden musste. Diese Poststapel wurden nach Berlin gebracht und in Briefkästen über die halbe Stadt verteilt eingeworfen. Hans Winkler glaubte einen todsicheren Transport von Luckenwalde nach Berlin mit der konspirativen Fracht ersonnen zu haben, indem er mit seiner elfjährigen Tochter per Bahn nach Berlin fuhr. Die Briefstapel befanden sich im Schulranzen der Kleinen. Als seine Frau Frieda dies herausfand, hielt sie ihrem Mann berechtigterweise vor, ob er verrückt geworden, sei, die kleine Tochter in das ohnehin schon brandgefährliche Unterfangen hineinzuziehen. In der Tat: Die Gruppe um Winkler und Scharff war zwar mutig und ging mit großem Herzen an ihr Werk, aber die Männer waren zugleich leichtsinnig, da in der Konspiration unerfahren. Winklers Frau befürchtete, dass dies ihren Mann aufs Schafott führen könne und hielt Werner Scharff vor, dass er ihrem Mann einen Floh ins Ohr setzen würde.

> „Sie haben ja nicht nur Versteckten geholfen, sondern mit den geringen Mitteln, die ihnen zur Verfügung standen, versucht, gegen dieses menschenverachtende Regime anzukämpfen."

Wenn Eugen Friede von seiner Zeit in Luckenwalde erzählt, betont er die Großartigkeit der Menschen, die im Widerstand gegen Hitlerdeutschland zusammenfanden: „Diese kleinen Leute in Luckenwalde, man kann gar nicht oft genug das Wort klein wiederholen, es waren völlig einfache Leute, wie zum Beispiel der Kellner in der Bahnhofskneipe, der bei uns mitgearbeitet hat oder der Rosin, der Kneipier. Die hatten unheimlichen Mut, denn sie haben alle gewusst, was ihnen blüht, wenn es rauskommt. Sie haben ja nicht nur Versteckten geholfen, sondern mit den geringen Mitteln, die ihnen zur Verfügung standen, versucht, gegen dieses menschenverachtende Regime anzukämpfen."

Tatsächlich schätzte der Mann, dem es gelang aus Theresienstadt zu fliehen, der den Mut hatte, eine Widerstandsgruppe zu gründen und zum Sturz des Regimes aufrief, die politische Situation und die bevorstehenden Konsequenzen für die Deutschen recht genau ein.

Im Herbst 1943 trafen sich die Regierungschefs Großbritanniens, der Sowjetunion und der USA – Churchill, Stalin und Roosevelt – in Teheran. Man war sich sicher, den Krieg gegen Deutschland zu gewinnen, dachte bereits an die Zeit danach und verhandelte darüber, was mit dem Aggressor dann zu geschehen hätte. Aus dieser Runde drangen damals bereits Details zum deutschen Auslandsgeheimdienst durch, die dem Regime klarmachten, was ihnen, oder genauer, dem deutschen Volk nach der Niederlage bevorstand: Stalin erklärte, dass Deutschland als Staat zwar erhalten werden sollte, aber Teile an Polen abzutreten habe. Um die Sicherheit Polens und vor allem Russlands für die nächsten 50 Jahre zu gewährleisten, müssten 20 bis 30 Millionen Deutsche aus den Gebieten östlich der Oder entfernt werden. Nur so ginge von Deutschland in Zukunft keine Gefahr mehr aus.

Ob Cioma Schönhaus erfuhr, dass Werner Scharff die Flucht aus Theresienstadt gelungen und er zurück in Berlin war, ist nicht überliefert. Sie wären wohl zwangsläufig zusammengekommen, denn Scharff kontaktierte die jüdischen Untergetauchten, von denen er annehmen konnte, dass sie sich an einer organisierten Widerstandsform beteiligen würden. Doch Ciomas sich ankündigende Flucht aus Berlin und Scharffs Rückkehr überschnitten sich zeitlich. Für Cioma spitzten sich die Ereignisse im September 1943 zu. Als er eines Abends spät mit Helene Jacobs zusammensaß, klingelte ihr Telefon. Ein Mann meldete sich, gab an, Helene unbedingt treffen zu müssen, obwohl es bereits nach 22 Uhr war. Sie versuchte, das Treffen auf den nächsten Tag zu verschieben, doch der Anrufer erklärte, es sei dringend, es ginge um Kaufmann. Obwohl sie wusste, dass es auch eine Falle sein könnte, sagte Helene Jacobs zu, sofort zu kommen. Auch Cioma war alarmiert, riet ihr ab. Doch was bleibe ihr übrig, wendete Helene ein, wäre dies tatsächlich eine Falle, und sie würde nicht dorthin gehen, stünde die Gestapo bald vor ihrer Tür. Um Cioma zu schützen, verabschiedete sie sich Minuten später, verschwand in die Nacht. Cioma wartete bis zum frühen Morgen, ohne dass Helene zurückkam. Als es hell wurde, nahm er seine bereits gepackte Tasche und verließ ihre Wohnung. Für einen solchen Moment hatte er sich einen Plan gemacht, den er nun umsetzte. Bei anbrechender

Dämmerung erreichte er die Werkstatt in Moabit. Er zögerte, nun den Schlüssel ins Schloss zu stecken und zu öffnen, wusste, wie gefährlich es war. Sollte Helene gefoltert und bereits ausgesagt haben, könnten drin Gestapo-Männer sitzen und auf ihn warten. Um in einem solchen Fall gewarnt zu sein, hatte Cioma mit Ludwig einen Trick verabredet. Jeweils der letzte, der die Werkstatt verließ, steckte ein winziges Stück Papier in den verschlossenen Türspalt. Öffnete ein anderer die Tür, lag das Papier auf dem Boden des düsteren Vorraums. Das Papier steckte. Cioma öffnete vorsichtig die Tür, und dennoch schlug ihm das Herz bis zum Hals – er wusste, wie grausam es werden würde, der Gestapo in die Hände zu fallen. Niemand da. Er schlüpfte schnell hinein und zog die Tür zu, entspannte sich etwas. Doch lange durfte er sich nicht aufhalten. Schnell griff er sich ein Fahrrad, das er sich für einen solchen Moment besorgt hatte, packte die Taschen für den Gepäckträger. Dann holte er ein bereit liegendes selbst gefälschtes Dokument aus einer Schublade. Einen Wehrpass mit seinem Foto und eine Kompanie-Bescheinigung, aus der hervorging, dass er ein paar Tage zwecks Erholung in der Heimat genehmigt bekommen hat. Langsam schob er sein Fahrrad aus der Werkstatt, die ihm so vertraut geworden war, hinaus auf die Straße, wo er vorsichtig zu radeln begann. Er musste aufpassen, sich nicht gleich einen platten Reifen zu holen, überall lagen Splitter herum. Es ging durch Moabit Richtung Charlottenburg. Vorbei an rauchenden Trümmerbergen zusammengefallener Häuser, zerborstenen Straßenbahnschienen vor zu Skeletten ausgebrannten Straßenbahnwaggons, Bombenkratern auf Straßenkreuzungen, aus denen Wasser emporquoll. Die mit Pappe verdunkelten Fenster der noch stehenden Häuser grüßten stumpf im Morgenlicht. Das Endspiel in Berlin hatte bereits begonnen, seit im Juli britische und US-amerikanische Bomberverbände fast ungehindert ihre tödliche Fracht über der Stadt niederregnen lassen konnten. Für die untergetauchten Berliner Juden verband sich damit die Hoffnung auf eine baldige Rettung, darauf, dass das Hitler-Regime bald kollabieren, der Krieg und damit das Morden ein Ende finden würden.

So radelte der junge Grafiker, der ein paar hundert Ausweise gefälscht hatte, durch seine vom Bombenkrieg gezeichnete Geburtsstadt Richtung Süden. Fuhr auf seinem Fahrrad durch ganz Deutschland mit dem Ziel, hinter Freiburg über die schwer bewachte Grenze in die Schweiz zu entkommen.

S. 109 oben: Ruth
unten: Cioma

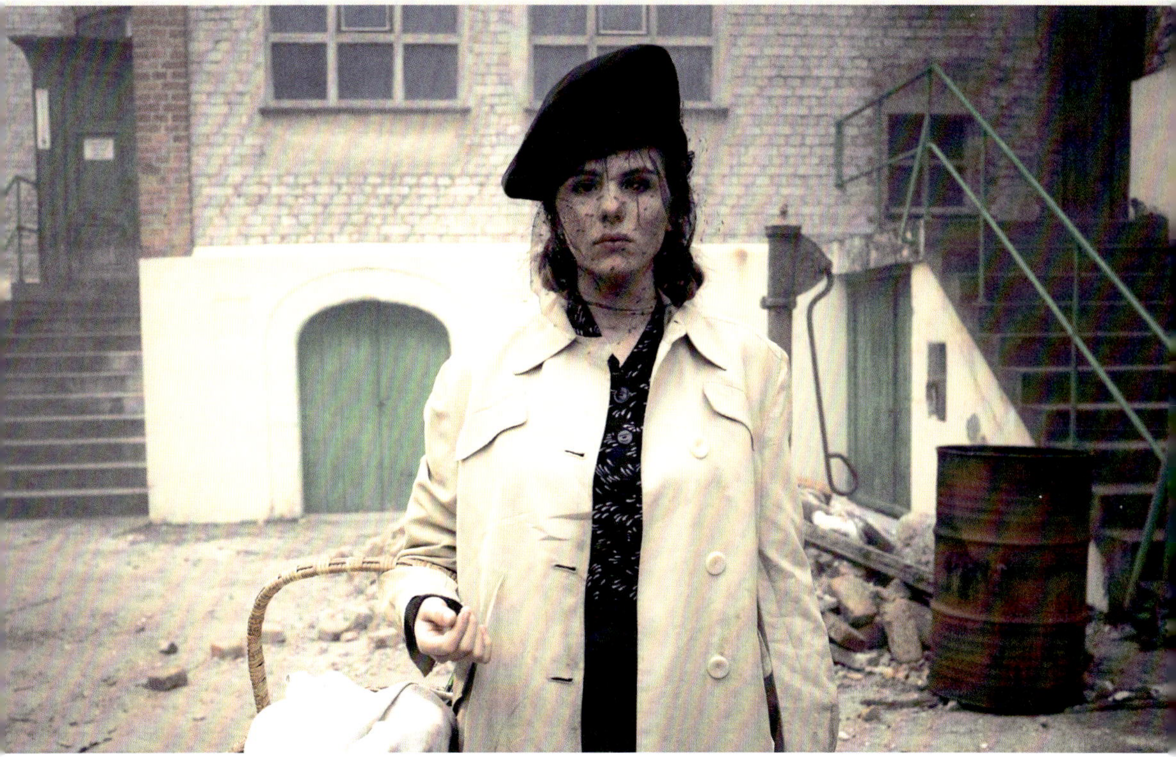

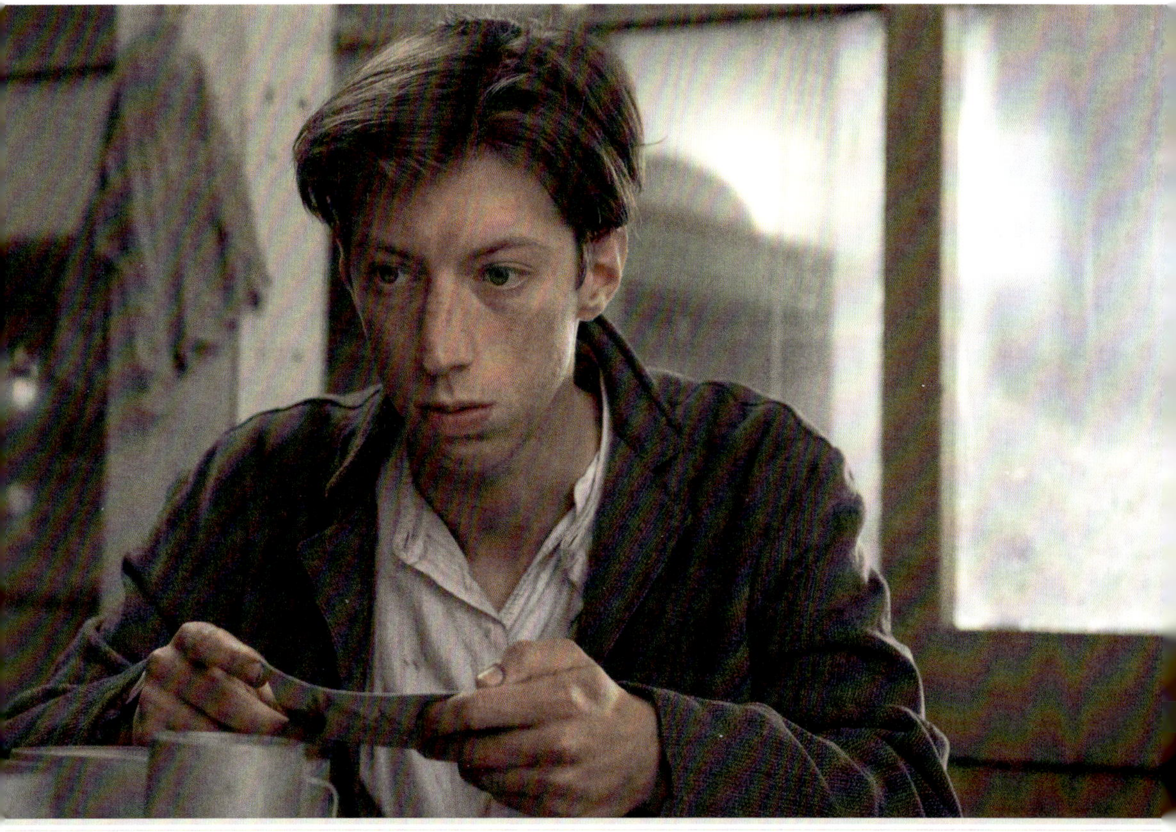

Hanni Lévy war inzwischen bei einer Familie Most untergekommen, die nicht weit von Ciomas Route durch die Stadt entfernt wohnte: am Charlottenburger Ufer 117, ganz in der Nähe vom Rathaus Charlottenburg. In der großen Altbauwohnung lebten zwei ältere Geschwister mit ihrer Mutter, Arthur Most arbeitete als Filialleiter einer Lokalzeitung, seine Schwester als Zahnärztin, und eine dritte Schwester war Fotografin bei der Ufa. Die Familie nahm Hanni wie ein eigenes Kind auf. Sie versuchte, den kosmopolitischen Mosts eine gute Hilfe in Küche und Haus zu sein. Dafür bekam sie etwas Taschengeld, was enorm wichtig für die 18-Jährige war, denn so konnte sie sich ihre regelmäßigen Friseurbesuche leisten. Und das Geld reichte auch, um ins Kino zu gehen, dort irgendwie die Zeit rumzukriegen. Sie entdeckte ein kleines Lichtspieltheater im nicht weit entfernten Schöneberg, in der Mackensenstraße, wohin sie bald des Öfteren zu Nachmittags- oder Abendvorstellungen ging.

Im Kino konnten die vom Krieg gezeichneten Berliner für zwei Stunden ringsum alles vergessen, für eine kurze Zeit aufatmen. Die Nationalsozialisten wussten um die Bedeutung solcher kleinen Fluchten für die „Volksgenossen", und so lief die Filmproduktion der Ufa auch in den letzten Kriegsjahren auf Hochtouren. Zudem konnte in die Komödien, Revue- und Liebesfilme geschickt Propaganda eingewebt werden. *Davon geht die Welt nicht unter* und *Ich weiß, es wird einmal ein Wunder geschehen* aus dem Melodram „Die große Liebe" von 1942 wurden zu den wohl bekanntesten Schlagern, die den Durchhaltewillen der Deutschen stärken sollten. Interpretin war die schwedischen Filmdiva Zarah Leander, die 1943 in ihre neutrale schwedische Heimat zurückkehrte, nachdem ihre Grunewald-Villa von einer Fliegerbombe getroffen worden war.

So saß Hanni umgeben von anderen Berlinern in dem kleinen Kino, lachte gemeinsam mit ihnen, ließ sich unterhalten von Geschichten, die alle Wirklichkeit ausblendeten. Nichts von dem, was auf der Leinwand zu sehen war, erinnerte daran, dass fast täglich Bomben auf die Stadt fielen. Dass in Berlin bis vor wenigen Jahren fast die Hälfte aller knapp 560.000 deutschen Juden lebte und es einst ein friedliches, selbstverständliches Miteinander von Juden und Christen gab. Dass viele gebildete, kreative und fürs Gemeinwohl tätige Deutsche jüdischen Glaubens waren: hervorragende Ärzte, Hochschulprofessoren,

Mathematiker, Chemiker, Physiker. Drehbuchautoren und Regisseure, die den Weltruf des deutschen Films der 20er- und frühen 30er-Jahre mit begründeten, Schriftsteller, Dichter und Philosophen, Architekten, Modeschöpfer, Sportler und Ingenieure. Jüdisch getauft und gute Deutsche. Wer konnte, war noch rechtzeitig geflüchtet und ausgewandert. Wer blieb und nicht abtauchen konnte, war in den Osten deportiert worden. Selbst eine so beliebte und bekannte Berliner Kinderbuchautorin wie Else Ury, die die „Nesthäkchen"-Bücher über die blondgelockte Arzttochter Annemarie Braun geschrieben hatte, war in Auschwitz ins Gas getrieben worden. Und nun saßen nur noch ein paar Tausend jüdische Untergetauchte in Berlin. Eine davon in dem kleinen Kino in der Mackensenstraße in Schöneberg, die sich jetzt Hannelore Winkler nannte und hoffte, nicht erwischt zu werden.

Hier, in diesem Kino, begann der letzte Akt ihrer Rettungsgeschichte. Eines Nachmittags saß sie wieder im dunklen Zuschauerraum, es lief irgendein Liebesfilm, wie sie sich später erinnert. Das Kino war fast ausverkauft, doch neben ihr blieb ein Sitz leer, bis die Platzanweiserin mit ihrer Taschenlampe einen Nachzügler in die bereits laufende Vorführung hereinbrachte und einen jungen Mann in ihre Reihe schickte. Er setzte sich neben sie. Hanni fiel auf, dass ihr neuer Nachbar immer wieder mal zu ihr rüberschaute, doch sie hatte sich bereits daran gewöhnt, da sie als junge Blondine öfter Blicke von Männern auf sich zog. Nach dem Ende der Vorstellung sprach der junge Mann sie beim Hinausgehen an. Lud sie ein, mit ihm spazieren zu gehen. Als Hanni zauderte, erklärte er sich: Er würde in den nächsten Tagen zur Wehrmacht eingezogen und an die Front geschickt, ob sie ihm den Wunsch erfüllen mochte, mit ihm vielleicht ein letztes Mal spazieren zu gehen. „Das hat mich eigentlich ein bisschen angerührt, und ich hab auch nichts weiter zu tun gehabt", beschreibt Frau Lévy den Moment, in dem sie sich entschied, darauf einzugehen. Zudem war es lebenswichtig für Untergetauchte, jemanden kennenzulernen, an den man sich im Falle des sofortigen Verlassens des bisherigen Verstecks wenden konnte. Ein solches Gefühl hatte Hanni offenbar, und so lief sie an der Seite des zur Wehrmacht einberufenen, fast gleichaltrigen Oskar Kolzer vom Nollendorfplatz über den Wittenbergplatz bis zum nahegelegenen Bahnhof Zoo, wo unablässig Uniformierte zu ihren Zügen hasteten. Hannis Begleiter erzählte über sich, davon, dass er Koch gelernt und in einem bekannten Restaurant, der *Traube*, ganz in der Nähe gearbeitet hatte. In einer kleinen Parkanlage gestand er ihr, dass er bereits seit ein paar Tagen ein Auge auf sie geworfen habe, beobachtete, dass sie regelmäßig in das kleine Kino in der Nähe des Nollendorfplatzes ging. Hanni war bemüht, sich keine Unruhe anmerken zu lassen. Sie blieb stehen, schaute ihn an und spürte, dass Oskar nicht gefährlich sei. Er erzählte, dass er selbst oft im Kino sei, da seine Mutter dort arbeitete, sie sei die Frau, die im Kassenhäuschen die Karten verkaufe. Daher hatte er auch die Kollegin seiner Mutter, die Platzanweiserin, gebeten, den Platz neben Hanni für ihn freizuhalten. Hanni meinte zu wissen, was nun kommen würde, doch fragte er nicht etwa, ob er sie küssen dürfe, sondern, ob sie sich um seine Mutter kümmern mochte. Damit hatte die 18-Jährige nicht gerechnet – worauf wollte er hinaus? Oskars Mutter war mit einem viel älteren, bereits 80-jährigen und zudem kranken Mann verheiratet. Oskar fürchtete nun, dass, wenn er in den Krieg ziehen müsste, seine Mutter bald vollkommen alleine sein würde. Ob Hanni sich vorstellen könne, ihrer Mutter ein wenig Gesellschaft zu leisten, sie ab und an zu besuchen, sich mit ihr zu unterhalten, sie hätte sonst niemanden mehr.

> „Ich bin Jüdin, ich bin verfolgt, ich weiß nicht mehr, wo ich schlafen kann", offenbarte sie sich. Die Kassiererin handelte sofort. „Und da hat sie zu mir gesagt: Sie kommen mit zu mir."

Wenige Tage später spitzte sich für Hanni die Lage zu. Bei der Familie Most war noch ein junger jüdischer Mann versteckt, der erwischt wurde, sodass seine Helfer unter Beobachtung geraten waren. Hanni musste sofort verschwinden. Nachdem sie mehrere Nächte ohne Quartier und draußen herumgeirrt war – wo und wie lange weiß sie nicht mehr genau – ging sie voller Verzweiflung erneut in das Kino in der Mackensenstraße in die Abendvorstellung. Als die Lichter nach der Vorstellung wieder eingeschaltet wurden, betrat sie den Kassenraum. Drückte sich dort unschlüssig herum und nahm sich schließlich ein Herz, ging auf die Kassiererin zu, die ihre Tageseinnahmen zählte, und sprach die fremde Frau an. „Ich bin Jüdin, ich bin verfolgt, ich weiß nicht mehr, wo ich schlafen kann", offenbarte sie sich. Die Kassiererin handelte sofort. „Und da hat sie zu mir gesagt: Sie kommen mit zu mir." Eine einfache Frau, eine Kassiererin eines kleinen Kinos tat etwas, was

Menschen erhebt: Sie half einer ihr unbekannten 18-Jährigen, nahm sie bei sich auf, rettete ihr das Leben. Viktoria Kolzer und ihr Mann Jean wohnten ganz in der Nähe des Kinos, in der Nollendorfstraße 28. Eine Zweizimmerwohnung parterre, zum Innenhof gelegen. „Und nun muss man sich vorstellen, die beiden Menschen waren sehr bescheiden situiert. Der alte Herr konnte nicht mehr arbeiten, und sie war auch schon Ende 40, und Kassiererin im Kino. Ich kann mir denken, dass das nicht viel einbrachte, und da kommt eine stockfremde Person und nun? Aber das ist mir erst viel später aufgegangen. Das einzige, das mir damals aufgegangen ist, dass ich ruhig schlafen konnte. Und dass ich Menschen gefunden hatte, die wieder Menschen waren."

Cioma Schönhaus war mit dem Fahrrad durch halb Deutschland gefahren, bis nahe an die deutsch-schweizerische Grenze. Mit seinem Rucksack sah er völlig unauffällig aus. Doch bei Öhningen, nicht weit vom Bodensee, entdeckte er, dass die Grenzregion gespickt war mit Grenzpatrouillen und weiteren militärischen Verbänden. Cioma wusste damals nicht, dass die neutrale Schweiz bis dahin fast alle zu ihnen geflüchteten jüdischen Deutschen wieder zurückgeschickt hatte. Die kleine Alpenrepublik wollte ihrem aggressiven Nachbarn keinerlei Vorwand für eine Verschlechterung der Beziehungen liefern und ignorierte so auch bereits existierende Berichte über die Ermordung der Juden durch das NS-Regime.

Als Cioma realisierte, dass es von Uniformierten in der Grenzgegend nur so wimmelte, entwickelte er schnell einen Plan, um sich bei einer unausweichlichen Kontrolle herausreden zu können. Cioma pflückte sich einen Strauß Blumen und fuhr an den zuvor auf einer Karte recherchierten grenznächsten Ort heran, um sich nach Fluchtmöglichkeiten umzuschauen. Sollte eine Kontrolle wissen wollen, was ein junger Mann wie er auf einem Fahrrad hier zu suchen habe, wollte er vorgeben, dass er die Gelegenheit seines genehmigten Urlaubs von der Truppe nutze, hier dem Herrn Schmidt, einem alten Freund eines Dr. Faber von der Firma AEG in Berlin, Grüße zu überbringen. Es war ein simpler Bluff, den Cioma sich ausgedacht hatte: Grüße an einen unbekannten Bekannten mit einem Allerweltsnamen von einem auf die Schnelle nicht zu widerlegenden Sowieso eines bekannten Berliner Konzerns überbringen zu wollen. Die Geschichte hätte stimmen können und würde allein von seiner Inszenierung leben. In der Erwartung, dass es auch in diesem kleinen Grenzdorf einen Mann namens Schmidt geben könnte und keiner der Kontrolleure sich die Mühe machen würde, in Berlin bei der riesigen AEG anzurufen und Nachforschungen anzustellen, radelte er weiter.

Wie vermutet, wurde er während der Erkundung des Grenzgebiets kurz vor einem Gehöft angesprochen. Cioma, mit Blumenstrauß auf dem Fahrrad, spielte seinen Bluff aus. Der alte Cioma Schönhaus glüht noch sieben Jahrzehnte später vor Freude und Abenteuerlust, wenn er davon erzählt: „Kommt ein Soldat von der Pirsch – rufen die Soldaten: He, Paul hier ist wieder einer (Cioma) den kannst du gleich mitnehmen… und ich hänge mich ran: Ja Paul, kannst mich gleich mitnehmen, und alle lachen, die Situation wirkt urkomisch.‘

Cioma erzählte dann seine Geschichte, worauf einer der Soldaten ihn tatsächlich zu einem Gehöft wies, wo ein Bauer Schmidt wohnte. Um keinen Fehler zu machen, musste er jetzt dorthin. „Und dann geh ich ganz ruhig mit meinem Fahrrad mit dem Blumenstrauß zum Bauernhaus rüber – nun öffnet ein Bauer – ein Typ wie Bismarck und Hindenburg gekreuzt –, doch der Mann kann mit dem Namen Dr. Faber von der Firma AEG nichts anfangen, auch seine Frau kennt niemanden in Berlin. Also sag ich, dass es vielleicht eine Verwechslung ist – vielleicht habe er sich im Ort vertan und es handele ich um den Nachbarort. Öhningen – na gut, dann nehme ich mir meinen Blumenstrauß und bin wieder weg.‘

Cioma radelte den Berg hinunter und entdeckte plötzlich einen Bach, der geradewegs in die Schweiz führen könnte. Er schaute sich um, ob ihn durch irgendeine Lichtung oder von einem Hochstand eine Patrouille per Fernglas im Visier haben könnte, entdeckte aber nichts und begann seine Flucht über die grüne Grenze: Er ließ die Luft aus einem Reifen, damit es so aussah, als habe er eine Panne, falls doch jemand käme. Dann schob er sein Fahrrad unter ein Gebüsch und folgte dem Lauf des vielleicht zwei Meter breiten Baches aufwärts. Nachdem er ein paar Minuten durch das Unterholz gegangen war, hörte er plötzlich Hundegebell und Schüsse. Kurzentschlossen kletterte er in den Bach und robbte auf allen vieren durchs Wasser. Immer weiter, die Arme waren bereits aufgescheuert, als plötzlich links und rechts des Bachs eine Fläche auftauchte. Eine abgemähte Wiese, flaches, grünes Gras. Während er überlegte, ob er womöglich bereits in der Schweiz sein könnte, da die Wiese gemäht war, hörte er ein lautes, knackendes Geräusch hinter sich im Unterholz. Er warf sich ins knietiefe Wasser zurück, wollte untertauchen und spürte gleichzeitig, dass er besser versuchen müsste, einfach loszurennen: „Verdammt! Mensch jetzt renne! Doch ich bin wie gelähmt, kann nicht. Mensch jetzt renne endlich, sage ich mir, aber ich kann es nicht. Und dann sehe ich plötzlich ein Reh vor mir durchs Unterholz springen und weiß, dass das Geräusch daher kam. Da ist mir klar: Wenn hier ein Reh ist, bin ich alleine. Jetzt bin ich in der Schweiz!" Er stand auf, kletterte vorsichtig aus dem Wasser, auf die frisch gemähte Wiese. „Dann laufe ich weiter und habe wie Robinson Crusoe bei der Ankunft auf der rettenden Insel erstmal den Boden geküsst! Und dann bin ich weiter, komme an ein Sägewerk, ziehe meine nassen Schuhe aus und stelle sie auf einen Stapel Bretter, und da ruft ein Junge: Guck mal Papa, da ist jemand, und der Mann fragt mich: Was machen Sie hier? Ich bin Flüchtling. Und der Mann sagt: Ich bin der Kanton-Polizist und ich nehme Sie erst mal zu mir nach Hause und morgen werden wir weiter sehen. Auf der Fahrt fragt er: Und warum sind Sie geflüchtet? Und ich antworte: Politisch. Und dann denke ich mir: Nein, jetzt reichte es, jetzt sag ich die Wahrheit, koste was es wolle, und ich sage: Ich bin jüdisch – und der Polizist sagt: Ich glaube trotzdem nicht, dass man Sie nach Hause schicken wird."

> **„Alle haben gesagt: Bist du verrückt ? Mit dem Fahrrad in die Schweiz fahren zu wollen – ja das wollte ich, das Verrückte."**

Der Polizist brachte Cioma auf seine nahegelegene Wache, sperrte ihn, wie es den Vorschriften der Schweiz entsprach, in eine Zelle, da er beim illegalen Grenzübertritt erwischt worden war. Nach einer Weile ging plötzlich die Tür auf, und ein anderer Schweizer Grenzpolizist kam herein. Er setzt sich zu Cioma und begann umständlich zu erklären, dass Cioma laut bisheriger Feststellungen und seiner ersten Aussage um 17.45 Uhr beim illegalen Einreisen aufgegriffen worden sei. Cioma verstand nicht, worauf der Uniformierte hinaus wollte. „Können Sie nicht sagen, dass sie um viertel nach Sechs die Schweiz illegal betreten haben, statt viertel vor Sechs, wie im Protokoll vermerkt? Weil: Ich hatte nur Dienst bis um 18 Uhr und wenn Sie viertel nach schreiben, das wäre besser für mich." Cioma begriff, was den Schweizer Grenzschützer belastete, und dass er wohl nicht zurückgeschickt werden würde. Er entspannte sich und sagte: „Kein Problem, dann schreiben sie ruhig viertel nach Sechs – und ich war in der Schweiz."

Cioma hatte großes Glück, war einfallsreich und enorm mutig. Es war ihm tatsächlich gelungen: Als steckbrieflich gesuchter jüdischer Passfälscher in Berlin seine Verfolger zu narren und in die Schweiz zu entkommen. Und er wurde nicht zurückgeschickt, was ihm das Leben gerettet hat. Cioma blieb von da an in der Schweiz. Hinter sich lassend seine Heimatstadt, in der das Endspiel der deutschen Welteroberungsfantasien begann.

Frau Lévy erinnert sich: „Am 29. November, da war der erste Großangriff auf Berlin, und im Kino spielte man ‚Großstadtmelodie‘, das werde ich nie vergessen. Aber die Großstadtmelodie haben wir dann hautnah erfahren. Bin zu Frau Kolzer ins Kino gekommen, und dann ging der Alarm los. Irgendwo schlug eine Bombe ein, und wir waren halb verschüttet. Und dann konnten wir da rauskrabbeln, als wir rauskamen waren um uns nur Flammen. Berlin brannte. Das waren Phosphorbomben. Schwarzer Rauch überall, und durch die Brände hat sich ein Wind erhoben, und das Feuer verbreitete sich rasend schnell von einem Haus zum anderen. Dann mussten wir nach Hause laufen. Wir schauten uns an und dachten: Ist da überhaupt noch ein Haus? Alles war lichterloh am Brennen, überall sah man halb eingestürzte Straßenzeilen. Und als wir um die Ecke kamen, sind wir beinahe auf die Knie gegangen: Die Nollendorfstraße, unsere Straße, war die einzige Straße, die unversehrt war! "

„Berlin brannte. Das waren Phosphorbomben. Schwarzer Rauch überall, und durch die Brände hat sich ein Wind erhoben, und das Feuer verbreitete sich rasend schnell von einem Haus zum anderen."

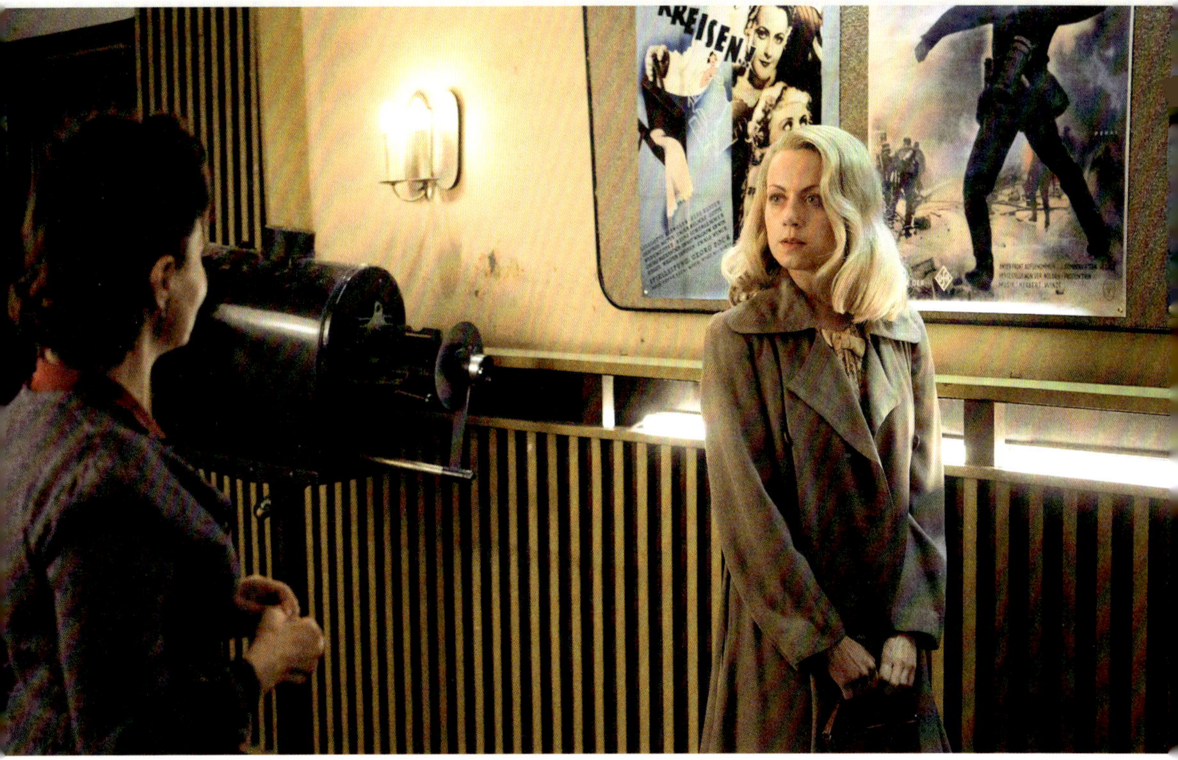

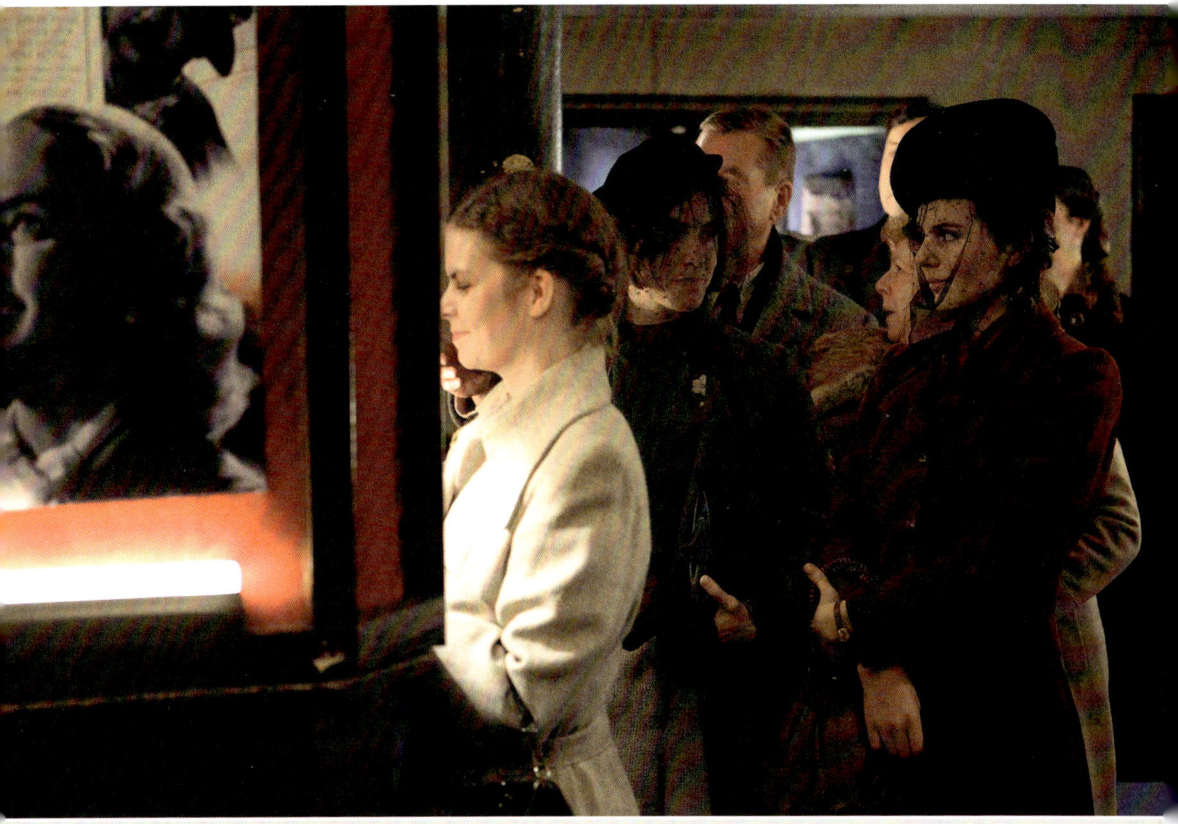

Ruth und Ellen konnten zu Weihnachten 1943 sogar Ellens Mutter Charlotte, der es ebenfalls gelungen war, sich an wechselnden Orten in Berlin zu verstecken, als Köchin für Oberst Wehlen und eine Kameradenrunde in dessen Wohnung holen. Wehlen hatte eine rare Delikatesse vom Schwarzmarkt beschaffen können, eine Gans, die er nun zubereitet haben wollte. Da dies die beiden jungen Frauen überforderte, kam Ellens Mutter zum Zug. Ruth erinnerte sich, wie sie dadurch am Weihnachtsabend selbst genug zu essen abbekamen und Reste in der U-Bahn nach Kreuzberg brachten, wo ihr Bruder Jochen noch immer vom Werkstattbesitzer Max Köhler beschäftigt und versteckt wurde.

Silvester 1943/44 hatte etwas Irreales, nicht nur für die noch im Untergrund um ihr Überleben kämpfenden jüdischen Berliner. Kaum einer von ihnen hätte es für möglich gehalten, dass sie sich so lange würden verstecken müssen. Immer mehr der Untergetauchten waren inzwischen auch geschnappt worden oder hatten auch aus Entkräftung aufgegeben. Welcher Verdrängungskünste bedurfte es aber bei jenen Deutschen, um an diesem Jahreswechsel optimistisch in die Zukunft zu blicken! Der zusammengebrochene Angriffskrieg im Osten würde im folgenden Kriegsjahr mehr deutsche Soldaten das Leben kosten, als in den zurückliegenden. Gut ein Drittel der jungen Soldaten, der Jahrgänge 1920 bis 1926, der Generation von Hanni, Eugen, Ruth und Cioma, würde den Krieg nicht überleben. Doch die nationalsozialistische Führung verweigerte sich jeglichem Realismus.

Hanni Lévy begann sich bei Familie Kolzer einzuleben. Die anderen Hausbewohner glaubten, das blonde Mädchen bei den Kolzers sei eine zu ihnen gezogene ausgebombte Verwandte. Die beiden Frauen rückten noch näher aneinander, als Viktorias Mann Jean verstarb. Hanni fühlte sich bei der Frau, die sie Mutti zu nennen begann, beschützt und geborgen. Mit ihr wagte sie sich auch bei Fliegeralarm in den nahegelegenen Luftschutzbunker. Bei einem dieser Aufenthalte in einem gewaltigen Hochbunker, der nicht weit vom Zoo aufragte, wurde sie plötzlich inmitten der hineindrängelnden Schutzsuchenden von einer gleichaltrigen Frau angesprochen. „Hannelore!" rief jemand hinter ihr her. Hanni beging einen Fehler, wie sie sich noch Jahrzehnte später erinnert. „Ich hab mich rumgedreht. Bin stehengeblieben und hab gesagt: Inge, was machst denn du hier!" Es war eine Klassenkameradin, eine andere untergetauchte Jüdin, die Hanni trotz ihrer blonden

Haare erkannt hatte. Sie traf sich sogar erneut mit Inge und hatte großes Glück, dass die Begegnung ohne Folgen blieb. Ein anderes Mal hätte es allerdings nicht so glimpflich ausgehen können, ließ ihr eine Begegnung fast das Blut in den Adern gefrieren. Sie war auf der Joachimsthaler Straße, nicht weit vom Kurfürstendamm, zusammen mit Frau Kolzer unterwegs, als ihr jemand entgegenkam, den sie zu kennen glaubte. Ein schlanker, großer, wenige Jahre älterer Mann, der mit einer auffällig hübschen blonden Frau in ihre Richtung schlenderte. Plötzlich wusste sie, woher sie den dunkelhaarigen Mann kannte. Sein Name war Rolf gewesen, erinnert sie sich. „Ein junger Mann, der in derselben Fabrik wie ich war, und ich bin vor ihm gewarnt worden, wusste, dass er untergetaucht und geschnappt worden war und nun für die Gestapo arbeitete. Man kann sagen was man will, man kann noch so versteckt sein, man hört doch manches." Rolf Isaaksohn und Stella Goldschlag kamen auf Hanni zu. Doch der ehemalige Zwangsarbeits-Kollege erkannte Hanni nicht. Ihre Veränderung rettete sie, vielleicht war sie auch damals in der Fabrik noch zu jung, nicht interessant genug für ihn gewesen, sodass er sie sich nicht eingeprägt hatte. „Und ich hatte Gott sei dank das kalte Blut, an ihm vorbeizugehen, so als ob ich ihn nicht gesehen hätte .... aber Angst hatte ich und bin dann wochenlang nicht mehr zum Kurfürstendamm gegangen."

Mittlerweile hatten die Greifer vom jüdischen Fahndungsdienst der Gestapo Hunderte von Untergetauchten aufgespürt und verhaftet. Horst Bodtländer, ein jüdischer Berliner im selben Alter wie Ruth Arndt und Cioma Schönhaus, der ebenfalls untergetaucht war, schilderte mir, wie Stella und Rolf Isaaksohn dabei vorgingen. Wie sie mögliche Untergetauchte ansprachen und ihre Kontrollen durchführten. Bodtländer, der bei einem französischen Gastarbeiter übernachten durfte, hielt sich über Monate rund um den Kurfürstendamm auf. Immer auf der Suche nach Essensmöglichkeiten, nach einem neuen Versteck, nach einem Kontakt, der eine Arbeit ohne Papiere für ein paar Tage bedeuten konnte. Kohlen in private Keller schleppen oder Schnee schippen, was sich so ergab. Bodtländer hatte einen gefälschten Postausweis, ein Dokument, das bei entsprechend unverfänglichem Auftreten helfen konnte. Das Papier, ausgestellt von der Post, berechtigte den Inhaber, Sendungen für ihn auf dem Postamt abzuholen oder auch Geld aufzugeben. Solch ein Papier wurde als personalausweisartiges Dokument akzeptiert. Bodtländer schilderte mir folgende Situation: Nicht weit vom *Romanischen Café*, dort wo heute das Europacenter steht, betrat er ein Speiselokal im Souterrain. Er wollte nach einem Bekannten Ausschau halten, der ihm Lebensmittelmarken besorgen konnte. Plötzlich kamen Stella – sofort erkennbar an ihrer grünen Fasanenfeder im Hut – und Isaaksohn die Treppe herunter. Mit erfahrenem Greiferblick entdeckten sie augenblicklich den damals 22-Jährigen, der zudem ohne Uniform unterwegs war. Stella forderte ihn auf, sich auszuweisen, worauf Bodtländer ihr in gespielter Ruhe seinen Postausweis reichte. Stella übergab Isaaksohn das Dokument, der einen Blick darauf warf und ihr mit einem Blick signalisierte, dass sie es überprüfen solle. Stella griff zu einem Telefon, das direkt vor ihr an der Wand eines schmalen Durchgangs zum vorderen Gastraum hing, und wählte die Nummer der Deportationssammelstelle Große Hamburger Straße. Isaaksohn ging in den hinteren Gastraum, um sich dort umzuschauen. Beim Telefonieren ließ Stella Bodtländer nicht aus den Augen. Um ihm jede Fluchtmöglichkeit zu nehmen, stemmte sie ihr Bein gegen die Wand, versperrte den Durchgang zum vorderen Gastraum, sodass er nicht einfach an ihr vorbei nach vorne flüchten konnte. Bodtländer tat so, als berühre ihn dies alles nicht, während Stella auf die Verbindung mit der Gestapo am anderen Ende wartete. Als jemand abnahm, spurtete Horst unvermittelt los, unter ihr Bein hindurch, rannte durch das vordere Lokal die Treppe hinauf, raus auf den Tauentzien. Er war so plötzlich losgespurtet, dass er Stella überrumpeln und einen entscheidenden Vorsprung herausholen konnte. Auf der belebten Straße rannte er durch die verdutzten Passanten um sein Leben. Hinter sich hörte er Stellas kreischende Stimme: „Haltet den Juden!" Doch sie kamen nicht hinterher.

Als Horst Bodtländer mir das erzählte, war er fast 90 Jahre alt. Er zitterte, als er mir den kurzen Moment schilderte, wie die Greifer ihn um ein Haar geschnappt hätten. Die meisten anderen Details seines Überlebens konnte er nicht mehr genau rekonstruieren, es waren nur noch Bruchstücke, die sich nicht mehr zu einer Geschichte zusammenfügten. Doch seine kurze, entschlossene Flucht hatte sich wie ein Filmstreifen bei ihm eingebrannt.

Bereits damals, 1944, sprachen sich diese verräterischen Aktionen der Greifer unter den Untergetauchten herum. Der Hass auf Stella und die anderen wurde immer größer. Auch Werner Scharff wusste von ihnen. Er wird Stella überdies in der Großen Hamburger Straße gesehen haben, als er dort die Tage bis zu seinem Transport nach Theresienstadt im Juni/Juli 1943 eingesperrt war. Erfahren hatte er von dem Verrat der Greifer aber wohl vor allem durch seinen früheren jüdischen Handwerkerkollegen Alexander Rothholz, mit dem er weiterhin in Verbindung stand. Der durch seine Mischehe geschützte Berliner Jude Rothholz erledigte für die Gestapo in der Sammelstelle alle anfallenden Handwerksarbeiten. Er durfte als sogenannter Mischling das Lager nach der Arbeit verlassen und wurde so ein unersetzbarer Verbindungsmann für die dort Eingesperrten nach draußen und ein wichtiger Zeitzeuge. Nach dem Krieg berichtete er von den Aktivitäten des jüdischen Fahndungsdienstes um Stella und Rolf Isaaksohn, denen er dort regelmäßig begegnet war. Auch die etwa 30 Greifer der Gestapo waren in der Deportationssammelstelle untergebracht, verfügten dort über Einzelräume und verließen das Gefängnis täglich zu ihren Einsätzen. Sie lebten dort, bis schließlich auch sie deportiert wurden. Von Alexander Rothholz, der im Übrigen auch zur Widerstandsgruppe um Scharff und Winkler gehörte, erfuhr Scharff Näheres über die Greifertruppe. Deren Verrat, der schreckliches Leid und Tod über so viel jüdische Berliner brachte, war für Scharff unverzeihlich. In ihm reifte der Entschluss, etwas dagegen zu unternehmen, vor allem gegen die exponierte Stella Goldschlag. Hans Winkler schlug zunächst vor, Stella in ein Berliner Café zu locken und ihr ein tödliches Medikament mit Hilfe eines dort mit der Widerstandsgruppe zusammenarbeitenden Kellners zu verabreichen. Dann wurde erwogen, sie im noch existierenden jüdischen Krankenhaus durch den dort tätigen jüdischen Zahnarzt während einer Behandlung zu vergiften, was aber daran scheiterte, dass Scharff und Winkler dem Mann keine sichere Fluchtmöglichkeit ins Ausland garantieren konnten.

> Hans Winkler schlug zunächst vor, Stella in ein Berliner Café zu locken und ihr ein tödliches Medikament mit Hilfe eines dort mit der Widerstandsgruppe zusammenarbeitenden Kellners zu verabreichen.

Eugen Friede erinnert sich, dass Scharff schließlich den Plan hatte, den sie umsetzen konnten. Hans Winkler beschaffte auf dem Amtsgericht

Luckenwalde einen Briefbogen, der für die Ausstellung von Urteilen verwendet wurde. Auf diesem Papier – das Wort „Luckenwalde" wurde aus dem Briefkopf rausretuschiert – formulierte Werner Scharff ein Feme-Urteil. „Im Namen des Volkes wird die Verräterin Stella Gold-schlag Kübler zum Tode verurteilt", schrieben sie auf das Papier und fügten eine Begründung an. Zum Schluss hieß es darin, dass das Urteil sofort nach Ende des Krieges vollstreckt würde. Dieses Feme-Urteil schickten sie in die Große Hamburger Straße – Alexander Rothholz bestätigte später, dass Stella dieser Brief von der Gestapo zugestellt wurde. Sie und der befehlshabende Lagerleiter Dobberke nahmen das Schreiben ernst, Stella blieb deshalb für einige Wochen in der Sammel-stelle. Sie traute sich vorerst nicht mehr auf die Straße, hatte Angst vor einer Vergeltungsaktion.

Als Stella, nachdem sie zehn Jahre Lagerhaft in der sowjetischen Besatzungszone als Strafe für ihren Verrat abgesessen hatte, 1955 nach West-Berlin zurückkehrte, wurde sie erneut gefangen genom-men. In Moabit vor Gericht gestellt, kamen etliche Details ihrer Kol-laboration mit der Gestapo ans Licht der Öffentlichkeit. Gegenüber Opfern, die sie einst der Gestapo übergeben, die aber glücklicherweise Auschwitz überlebt hatten, verteidigte sie sich mit dem Argument, sie hätte keine Wahl gehabt. Sie sei zum Verrat gezwungen worden, man habe ihr gedroht, sie totzuschlagen, zumindest aber ihre Schönheit zu zerstören und sie mit ihren Eltern anschließend nach Auschwitz zu deportieren. Man hielt Stella entgegen, dass die Gestapo andere junge Frauen ebenfalls zur Mitarbeit zwingen wollte, diese sich aber standhaft geweigert hätten, ihre Leidensgenossen aufzuspüren und zu verraten. Eine junge Frau, Julia Schneeberg, die im Juni 1944 aufgegriffen wurde, schleuderte einem berüchtigten Gestapo-Vernehmer voller Empörung entgegen, warum sie die Drecksarbeit übernehmen solle, dann habe er, der Gestapo-Mann, doch nichts mehr zu tun und müsse womöglich in den Krieg! Die Jüdin ist für ihr mutiges Auftreten und ihre resolute, integre Haltung nicht geschlagen worden, die Gestapo ließ von ihr ab, als sie begriff, dass sie sich nicht vereinnahmen ließ. Natürlich wurde die mutige Frau nach Auschwitz deportiert, ein Schicksal, das aller-dings auch gut ein Drittel der etwa 30 Kollaborateure des jüdischen Fahndungsdienstes ereilte. Keiner von ihnen kam zurück. Schnell sprach sich in den Lagern herum, wer sie waren. Einer wurde bereits auf dem Weg nach Auschwitz im Transportzug von wutentbrannten Mitgefangenen getötet. Insgesamt 29 Fahnder wurden nach dem Krieg als solche benannt. Zehn von ihnen wurden deportiert und dort ermordet. Siebzehn jüdische Fahnder überlebten in Berlin. Vierzehn von ihnen mussten sich später vor Gericht verantworten. Das Strafmaß changierte von Freisprüchen bis zur Todesstrafe. Stella Goldschlag kam für zehn Jahre in das zuvor von den Nationalsozialisten errichtete Konzentrationslager Buchenwald bei Weimar, wo sie sich schwere Gesundheitsschäden zuzog. Nur einer konnte sich seiner Verantwortung und Bestrafung entziehen und blieb verschollen. Rolf Isaaksohn.

> **Siebzehn jüdische Fahnder überlebten in Berlin. Vierzehn von ihnen mussten sich später vor Gericht verantworten. Das Strafmaß changierte von Freisprüchen bis zur Todesstrafe.**

Untergetaucht bei Hans Winkler, war Eugen Friede nicht nur Zeuge der versuchten Feme-Aktivitäten gegen den Fahndungsdienst, sondern auch Mitglied der Berliner/Luckenwalder Widerstandsgruppe. Die aus Juden und Nichtjuden bestehende Organisation und deren mutiges Wirken geriet nach dem Krieg für Jahrzehnte in Vergessenheit. Dabei vereinte alle Beteiligte eine furchtlose Entschlossenheit – manchmal allerdings auch gepaart mit einer gefährlichen Naivität. So erzählt Eugen Friede von einer Zusammenkunft in Luckenwalde, bei der weitere Widerstandsaktionen besprochen werden sollten. Treffpunkt war die Bahnhofskneipe von Hans Rosin, der zudem die Freundin von Werner Scharff als Aushilfe im Ausschank beschäftigte. Man saß an einer Art Stammtisch zusammen, als ein Trupp SA-Männer hereinkam, sich ebenfalls auf ein Bier gleich an den Nebentisch setzte. Eugen erinnert sich daran: „Es wurde mit einem Mal immer voller, es kamen immer mehr Leute herein, alle in Uniform, SA-Leute, Hitlerjungen, BDM-Mädchen. Die saßen da bis jemand das Radio angemacht hat, und da haben wir dann gemerkt, sie sind gekommen – es war der 30. Januar –, um einer Rede von Hitler zum Jahrestag der Machtergreifung zuzuhören. Und es blieb uns am Ende nichts anderes übrig, als mit aufzustehen, den

rechten Arm zu heben und das Horst-Wessel-Lied mitzusingen – ein
Wahnsinn! Wir sind nach Hause gelaufen und konnten uns vor Lachen
kaum halten – bis wir ankamen und die Frau Winkler uns zur Sau
machte: Seid ihr denn bekloppt, an so einem Tag und in einer Kneipe?"

Ruth Arndt hatte über die ehemalige Patientin ihres Vaters Anni
Gehre den Tipp für eine neue Arbeit bekommen: Ein in Berlin
akkreditierter spanischer Diplomat suchte für seine Familie ein Kindermädchen. Ruth freute sich, als sie davon erfuhr, hatte sie doch vor
Beginn der Zwangsarbeitsverordnung eine Ausbildung als Kinderkrankenschwester beendet. Um sich kennenzulernen, schlug der spanische
Gesandte, Dr. Santaella, ein Treffen im bekannten *Hotel Adlon* am
Brandenburger Tor vor. Obwohl Ruth die Präsenz von Uniformierten
durch die vielen abendlichen Gelage bei Oberst Wehlen gewohnt war,
hatte sie Angst, das Hotel zu betreten, da dort viele Nazi-Größen verkehrten. Sie ging gemeinsam mit Ellen hin, bat sie, draußen zu warten.
Mrs. Gumpel erinnert sich: „Und dann habe ich mich mit Dr. Santaella
im Hotel Adlon getroffen. Das war voller Offiziere und Militär. Aber
ich musste dort hin, also bin ich rein. Es sah sehr elegant aus, er hat
mich gleich erkannt, sprach sehr gut Deutsch und hat mir dann erzählt,
dass er vier Kinder hätte – von einem bis sieben Jahre. Er wusste, dass
ich geflitzt bin, aber keinen Nachnamen von mir. Wir hatten dann
verabredet, dass er mich in ein paar Tagen am Adlon abholt. So haben
wir das auch gemacht. Ich mit kleinem Köfferchen, und ich hatte noch
meine Nurse-Uniform." Dr. Santaella war Gesandter in der spanischen
Botschaft und wie viele Spanier gläubiger Katholik. Er gehörte zwar
der Franco-Regierung an, lehnte das Nazi-Regime aber aus tiefstem
Herzen ab.

In den Tagen bis Ruth ihre neue Arbeit begann, kam es zu einer
weiteren Begegnung, die Ruths Leben für immer verändern würde.
Der junge Mann, in dessen Wohnung Ruth, ihr Bruder und Ellen vor
ihrer Illegalität gelegentlich zu heimlichen Tanztreffen zusammenka-
men, tauchte wieder auf. Bruno Gumpel hatte sich in Treptow, einem
Kreuzberg benachbarten Bezirk, auf abenteuerliche Weise über ein
Jahr durchgeschlagen. Aus einem Grund, den er später nicht genauer
zu beschreiben vermochte, erwachte in ihm der Wunsch, nach seinem
Freund Jochen zu suchen. Er wollte wissen, ob er und seine Schwester

und deren Eltern sich noch in Berlin aufhielten, ob sie alle noch lebten. Bruno erinnerte sich, wohin er im Dezember 1942, also bereits vor einer gefühlten Ewigkeit, Jochen Arndt geholfen hatte, die persönliche Habe von dessen Vater wegzubringen. Es war am Kottbusser Ufer gewesen, nicht weit von der damaligen, sogenannten Judenwohnung der Arztfamilie. So fuhr er zum Kottbusser Tor, ging von da in das heutige Paul-Lincke-Ufer und erkannte den Eingang des Hauses wieder, wusste dann auch, in welchem Stockwerk und an welcher Tür er zusammen mit Jochen die Taschen abgegeben hatte. Einem Impuls folgend, klopfte er an der Tür von Frau Gehre. Als sie den abgemagerten jungen Mann vor sich sah, der nach Dr. Arndt und seiner Familie fragte, glaubte Frau Gehre zunächst, dass es sich um eine Gestapo-Falle handeln könnte. Beunruhigt schilderte sie ihrem immer noch bei ihr versteckten früheren Hausarzt, wer soeben angeklopft habe. Da Dr. Arndt sich an Bruno erinnerte, ihn als einen aufrechten jungen Mann kannte und die Beschreibung seiner Quartiergeberin auf den Freund seines Sohnes zu passen schien, bat er Frau Gehre, den Jungen zurückzuholen und hereinzulassen. Dr. Arndt spürte, dass Bruno die Wahrheit gesagt hatte, offenbar einzig aus Einsamkeit und dem Wunsch, seinen Freund wiederzusehen, hergekommen war. So führte Frau Gehre den jungen Mann wenige Tage später – nachdem Jochen zugestimmt hatte – in die Oranienstraße, in die Hinterhofwerkstatt, wo Jochen versteckt war. Ellen, Jochen und Ruth waren tief bewegt, als sie Bruno sahen, freuten sich, dass er nicht erwischt worden war, sich am Leben erhalten hatte und zu ihnen kommen wollte. Jochen fragte den Besitzer der Werkstatt, Max Köhler, ob Bruno bei ihnen mitarbeiten könne. Köhler war einverstanden, meinte, die Nazis würden ihre Bemühungen jetzt auf die sich abzeichnende Kriegsniederlage konzentrieren müssen und hätten deshalb für die Verfolgung untergetauchter Juden schlicht keine Ressourcen mehr. Glaubte, dass das näherkommende Ende des Krieges den Rest an staatlicher Bedrohung erledigen werde. Tatsächlich aber erhöhte das ihrem Untergang entgegentaumelnde NS-Regime seine Verfolgungsanstrengungen noch einmal ab dem Frühjahr 1944. So wurden fast alle Juden Ungarns – mehr als 400.000 Menschen – in diesem vorletzten Kriegsjahr noch verhaftet, deportiert und ermordet!

Ruth war überglücklich über ihre Anstellung bei den Spaniern. Große Hoffnung, alles zu überstehen, schöpfte sie darüber hinaus, als sie erfuhr, dass die Familie aus Berlin evakuiert und sie mit ihnen nach Diedersdorf fahren würde. Der kleine Ort ist knapp 30 Kilometer östlich der Hauptstadt gelegen, ein verschlafenes Nest mit einem Schlösschen, in das einige der noch in Berlin verbliebenen Diplomatenfamilien untergebracht wurden. Die ländliche Umgebung östlich von Berlin lag nicht im Visier der alliierten Bomberverbände, sodass das Regime hier auch weitere Vorbereitungen zur Unterbringung ganzer Teile ihrer Verwaltung und Ministerien traf. Für die Errichtung neuer Gebäude und Bunker wurden übrigens Arbeitskommandos aus Konzentrationslagern – darunter auch Juden – eingesetzt. Hier in Diedersdorf wohnten nun die Santaellas mit ihrem jüdischen Kindermädchen. Die Zeit bei der Familie, weit entfernt von den Bombennächten in der Hauptstadt, empfand Ruth fast so wie einen Aufenthalt in einem Kurort zu Friedenszeiten. Sie konnte nachts durchschlafen, bekam regelmäßig und ordentlich zu essen, war mit den Kindern an der frischen Luft. So erholte sie sich von Strapazen der zurückliegenden bereits mehr als eineinhalb Jahre, in denen sie auf der Flucht in der eigenen Stadt war. Und sie durfte sogar ihre Mutter zu sich holen, da in der Küche des Schlosses, wo mehrere Diplomatenfamilien bekocht werden mussten, eine Hilfskraft gesucht wurde. Natürlich mussten Mutter und Tochter vor den anderen im Schloss so tun, als kennen sie sich nicht. Geradezu amüsiert berichtet uns Ruth, wie sie beide schauspielerische Fähigkeiten entwickelten. Sie sietzten sich, und Ruth, die als Kindermädchen einen höheren Rang einnahm als die ältere Küchenhilfe, veranstaltete mit ihrer Mutter allerlei Schabernack – aus Freude! So tankten Mutter und Tochter Kraft und Zuversicht für den heranbrechenden Schlussakt ihrer Rettung, der sie wieder nach Berlin zurückbrachte.

> „Und Dr. Santaella ging rein, um zu bezahlen und da kam er wieder raus und sagte zu seiner Frau: Die Invasion hat begonnen. Wir waren natürlich außer uns – wir dachten, jetzt ist der Krieg vorbei, sehr bald."

Doch bevor die Zeit bei den Santaellas zu Ende ging, nahmen die Spanier ihr Kindermädchen sogar auf eine Urlaubsreise mit. Mit dem Auto fuhren sie am 7. Juni 1944 in den Harz. Unterwegs machten sie Halt, um zu tanken. Mrs. Gumpel erinnert sich an diesen Tag, der die Hoffnung der vielen Opfer des NS-Regimes wieder aufleben ließ: „Und Dr. Santaella ging rein, um zu bezahlen und da kam er wieder raus und sagte zu seiner Frau: Die Invasion hat begonnen. Wir waren natürlich außer uns – wir dachten, jetzt ist der Krieg vorbei, sehr bald. Und dann, als wir da ankamen im Harz, waren wieder Offiziere da, und die standen alle mit langen Gesichtern rum. Auch sie hatten davon gehört und waren sich nun auf einmal nicht mehr so sicher, dass Deutschland gewinnt. ... und es war – ich kann es gar nicht beschreiben!"

Ellen war zur selben Zeit noch bei Oberst Wehlen. Sie servierte ihm und einem Gast gerade Kaffee, als die Nachricht von der am 6. Juni begonnenen Landung der Alliierten in der Normandie aus dessen Radiogerät drang. Wehlen nahm Ellen zur Seite und gratulierte ihr dafür, dass ihre Befreiung nun näher rücke, wenn auch für ihn die Dinge weniger rosig aussehen würden, aber das sei nun mal seine Sache.

Doch bis zur Kapitulation am 8. Mai 1945 sollte noch fast ein ganzes Jahr vergehen. Eine unvorstellbar lange Zeit für die im Untergrund lebenden Berliner Juden, von denen immer mehr gefasst wurden.

Nur wenige Wochen nach der Landung der Alliierten am 6. Juni 1944 in der Normandie wagten Wehrmachtsoffiziere angesichts der hoffnungslosen militärischen Lage einen Putschversuch. Das Attentat auf Hitler am 20. Juli 1944 durch Oberst Graf von Stauffenberg jedoch scheiterte, und damit war die allerletzte Chance vertan, über ein Ende des Krieges mit den Alliierten zu verhandeln. Die Niederschlagung des Putschversuches löste eine Welle der Gewalt aus. Die Teilnehmer wurden sofort hingerichtet, und Anfang August begannen die Prozesse in Standgerichtsmanier gegen Mitverschwörer sowie gegen angebliche Widerständler und Wehrkraftzersetzer. Die meisten von ihn wurden ebenfalls zum Tode verurteilt und unmittelbar darauf hingerichtet. Der Alltag wurde fortan von polizeilichen Kontrollen und Bespitzelungen bestimmt, denen viele Illegale zum Opfer fielen. Das NS-Regime erhöhte seinen Druck auf alle Abweichler, Andersdenkende und auch Deutsche, die leichtfertig defätistische Flapsigkeiten oder Witze äußerten. Für harmlose Bemerkungen, die am Unfehlbarkeitsbild des Führers kratzten, wurden Hunderte von Menschen zum Tode verurteilt.

Auch Eugen Friede und die Mitglieder der Gemeinschaft für Frieden und Aufbau gerieten ins Visier der Gestapo. Bei dem Versuch, eine wohlhabende Potsdamer Offiziersgattin anzuwerben, deren Mann denunziert und zum Tode verurteilt worden war, wurde Hilde Bromberg verhaftet. Das ebenfalls untergetauchte jüdische Mädchen sollte auf Anregung von Hans Winkler versuchen, die Offiziersgattin um eine Geldspende für die Widerstandsgruppe zu bitten. Winkler spekulierte darauf, dass die Offiziersgattin durch das Todesurteil gegen ihren Ehemann eine entschlossene Gegnerin des NS-Regimes sei. Doch sie hielt dies für eine Falle und informierte die Gestapo. Die 18-Jährige blieb in der Haft über Wochen standhaft, verriet auch unter furchtbarer Prügel und Folter immer nur, was ihre Peiniger erkennbar bereits wussten. Dass die Gruppe Flugblätter anfertigte und verschickte, nicht aber, wer sich dahinter verbarg. Die Gruppe erfuhr durch ihren Mitstreiter Alexander Rothholz aus der Gestapo-Sammelstelle, dass das Mädchen sich so mutig verhielt und schwieg. Hans Winkler, den zudem das Gewissen plagte, Hilde leichtsinnig mit der Anwerbeaktion beauftragt zu haben, ahnte, dass es eine Frage der Zeit sei, bis die 18-Jährige das Martyrium nicht mehr aushalten und alles, was sie wusste, preisgeben würde. Er trat sozusagen die Flucht nach vorne an, organisierte zusammen mit Werner Scharff einen geradezu tollkühnen Befreiungsversuch Hilde Brombergs. Über Scharffs Kontakte zu Alexander Rothholz erfuhren sie, dass Hilde von der Gestapo zu begleiteten Streifzügen in Berliner Lokalen eingesetzt wurde. Hilde versuchte offenbar, Zeit zu gewinnen, indem sie der Gestapo vorgaukelte, dass sie einzelnen Mitgliedern der Widerstandsgruppe nur an öffentlichen Orten, also konspirativ begegnet sei. Dass sie deren wirkliche Namen nicht kenne, sie aber wiedererkennen würde. Daher sollte sie den Verfolgern nun in Cafés und Kneipen beim Aufspüren von Mitgliedern der Widerstandsgruppe helfen. Mit Hilfe eines Kassibers instruierten Winkler und Scharff die 18-Jährige. Sie sollte die Gestapo-Männer in das bekannte Kudamm-Restaurant *Zigeunerkeller* führen. Dort arbeitete ein Freund Werner Scharffs als Kellner, ebenfalls ein Mitstreiter der Gruppe. Winkler erschien zum festgelegten Zeitpunkt unauffällig mit seiner Tochter. Auch Hilde traf in Begleitung zweier Männer in langen Ledermänteln ein. Sie sollte nun von der Toilette des Lokals aus auf die Straße flüchten und in ein dort wartendes Taxi springen. Doch der Befreiungsversuch scheiterte. Hilde versagten in letzter Minute offenbar die Nerven. Sie ging auf die Versuche des Kellners, sie zur Toilette zu schicken, nicht ein. Winkler konnte mit seiner Tochter unerkannt verschwinden – doch die Schlinge zog sich langsam zu. Der Gestapo wusste nicht nur von verschickten Flugblättern, sie legten Hilde Bromberg auch Fotos des aus Theresienstadt geflüchteten Werner Scharff, seiner Freundin Fancia Grün sowie Hans Winklers vor. Gestapo-Beamte stellten Nachforschungen im Amtsgericht Luckenwalde, Winklers Arbeitsstätte, an. Im Herbst 1944 wurde dann bei einer Razzia in einer Kreuzberger Hinterhofdruckerei eine Verbindung zu Werner Scharff festgestellt. Die Druckereibesitzer wurden verhaftet, alle Kontakte in ihrem Umfeld überprüft und überwacht. In Prieros machten sie die Ehefrau Scharffs, Gertrud, ausfindig, die sich dort unter falschem Namen versteckt hatte. Ihren Quartiergebern legte man ein Foto von Werner Scharff vor, den diese Leute auch erkannten und offenlegten, dass der Gesuchte am nächsten Tag vorbeikommen würde, um ihnen ein von ihm repariertes Radio zu bringen. So wurde auch Werner Scharff Anfang Oktober verhaftet. Wenige Tage später kam es in Luckenwalde zur Festnahme von Hans Winkler, dem Gaststättenwirt Paul Rosin und weiteren Mitverschwörern. Eugen blieb zunächst verschont, denn er hatte zuvor das Versteck gewechselt. Er lebte jetzt wieder bei seinen Eltern, die ebenfalls untergetaucht waren und auf Vermittlung Winklers in einer kleinen Dachkammer in Bahnhofsnähe von Luckenwalde Unterschlupf gefunden hatten. Sein Vater Julius sollte zum Volkssturm eingezogen werden, in dem alle noch nicht kämpfenden wehrfähigen Männer zwischen 16 und 60 Jahren zur Verteidigung des „Heimatbodens" aufgerufen waren. Julius Friede fürchtete, dabei sein Leben zu verlieren, was zugleich das Todesurteil für seine Ehefrau – Eugens leibliche Mutter – bedeutet hätte: Anja Friede würde als Jüdin ohne ihren noch lebenden „arischen" Ehepartner sofort verhaftet und deportiert. So wohnten nun Eugen und seine Eltern zusammen in der kargen Speicherbehausung. Vor allem seinem Vater setzte das Verstecktsein zu, und er hatte Angst, dass er bei einer Verhaftung die qualvolle Folter durch die Gestapo nicht durchstehen könnte. Eugen beobachtete, wie er Schlaftabletten zu Pulver zerkleinerte, um sich rechtzeitig das Leben nehmen zu können. Am 11. Dezember 1944 wurden auch sie dann von der Gestapo aufgespürt: „Es klopfte bei uns an der Tür und die zwei (Gestapo-Männer) standen im Türrahmen und kamen rein mit Pistolen in der Hand. Hände hoch! Ich war schon vorher, jedes Mal, wenn ich verdächtige Geräusche im Treppenhaus hörte, im Kleiderschrank verschwunden, und in dem Fall auch. Durch einen Spalt aber konnte ich sehen, was sich da abspielte und sah also, wie die beiden sich aufführten, als wenn sie ein ganzes Partisanennest ausheben würden, so haben die sich benommen. Mit Pistolen rumgefuchtelt, meinen Vater mit der Pistole geschlagen, sodass er zu Boden ging, meine Mutter mit der Pistole bedroht. Mit einem Mal hat dann der eine von den beiden die Schranktür aufgerissen... Prügel, mit Backpfeifen rechts und links, ich weiß auch noch, als ich meine notwendigsten Dinge einpacken wollte, meine Zahnbürste, wie dann einer der beiden meinte: Wo du hinkommst, brauchst du keine Zähne mehr zu putzen!" Eugen und seine Eltern wurden von der Gestapo zunächst nach Potsdam gebracht und dort getrennt eingesperrt. Julius Friede erwartete, da er fahnenflüchtig war, dass man mit ihm kurzen Prozess macht und ihn erschießt. Da er ohnehin Ehefrau und Stiefsohn nicht mehr schützen konnte, beging er Selbstmord. In einem unbeobachteten Moment gelang es ihm, seine vorbereitete Schlafmittelmischung zu schlucken, er starb – dies ist nicht völlig sicher rekonstruierbar – offenbar auf der Gestapo-Dienststelle in Potsdam.

Ruth Arndts Zeit bei der spanischen Gesandtenfamilie endete, als diese in die Schweiz versetzt wurde. In Madrid war sich die Regierung General Francos schon lange darüber im Klaren, dass ihre einstigen Verbündeten am Ende waren. Nun wollte man die Diplomaten aus Deutschland herausbringen und entsandte sie in die Schweiz, nach Bern. Die Santaellas hätten ihr Kindermädchen gerne mitgenommen, es scheiterte daran, dass Ruth schlichtweg keinen deutschen Pass hatte. So mussten sie und auch ihre Mutter zurück in das bereits stark zerstörte Berlin. Ruth kam in der Kreuzberger Werkstatt unter, bei den Köhlers, die bereits seit Beginn des gemeinsamen Untertauchens ihren Bruder Jochen aufgenommen hatten. Die Werkstatt lag im ersten Stock eines der unübersichtlichen, großen Hinterhofareale in der Oranienstraße. Die Geschäftsstraße mit den vielen Wohnungen und kleinen Gewerbebetrieben in den düsteren Hinterhöfen bot gute Möglichkeiten, sich im wörtlichen Sinne unsichtbar zu machen. So warteten Ruth und auch ihre Freundin Ellen hier auf das Ende des Krieges, das unausweichlich näher kam.

Hanni Lévy berichtet viele Jahre später, dass sie, je näher das Ende des Krieges kam, immer stärker spürte, dass nicht nur sie Frau Kolzer brauchte, sondern dies auf Gegenseitigkeit beruhte. Viktoria Kolzer war nach dem Tod ihres Mannes in großer Sorge, dass auch ihrem Sohn an der Front etwas zustoßen könnte, sie ihr einziges Kind verlieren würde. Hanni spürte, dass sie ihre Retterin zu stärken begann. „Wie Mutter und Tochter lebten wir dann zusammen, wir stützten uns gegenseitig", so empfand Frau Lévy ihre Beziehung damals. Da auch im Haus keiner der Nachbarn ihr mit Argwohn begegnete – alle glaubten bereitwillig die Legende von der ausgebombten Verwandten – wuchs Hannis Selbstvertrauen. So wagte sie sich sogar in die sich in derselben Straße befindende SA-Stabstelle, um eine neue Rolle Verdunklungspappe für Frau Kolzers Wohnung zu holen. Als sie mit ihrem im Krieg alltäglichen Anliegen dort auftauchte, boten ihr zwei beflissene SA-Männer an, mitzukommen, wollten der attraktiven blonden 18-Jährigen gern beim Anbringen helfen. „Aber ich hab mir nicht helfen lassen. Es war aber gar nicht so einfach, die davon abzubringen", erzählt Frau Lévy schmunzelnd.

> **Hunderttausende Deutsche, die ihre Häuser und Höfe, Dörfer und Städte in Ostpreußen und Oberschlesien Hals über Kopf und im eiskalten Winter verlassen mussten, waren nun auf der Flucht.**

In den ersten Wochen Jahres 1945 – sechs Jahre dauerte der Krieg nun schon – hatte es sich bis in den entlegensten Winkel des Landes herumgesprochen, dass sich die Wehrmacht vor der Roten Armee aus den östlichen deutschen Gebieten auf dem Rückzug befand. Gräuel-Geschichten kursierten über die Rote Armee, wie sie Rache nahm an der deutschen Bevölkerung, stimmten darauf ein, was ihnen allen bevorstehe. Hunderttausende Deutsche, die ihre Häuser und Höfe, Dörfer und Städte in Ostpreußen und Oberschlesien Hals über Kopf und im eiskalten Winter verlassen mussten, waren nun auf der Flucht. Es war eine Wirklichkeit gewordene Apokalypse, wie sie ein zuvor gut organisiertes, modernes Land noch nie erlebt hatte: Die Straßen waren von endlosen Trecks aus Pferdewagen, Handkarren ziehenden Frauen mit Kindern und Alten verstopft. Die Züge überfüllt mit Flüchtlingsfamilien, die einfach nur weg wollten. Über diesen flüchtenden

Menschenkolonnen tauchten immer wieder Tiefflieger auf, die auf der Jagd nach versprengten Truppenteilen oder Transporten waren, um dem deutschen Heer keine Gelegenheit zu geben, zu verschnaufen. Gleichzeitig drangen vom Westen die US-Verbände vor, wenn auch langsamer, als von den in Berlin ausharrenden Untergetauchten erhofft. Hanni Lévy erinnert sich, dass sie zusammen mit Frau Kolzer auf einer Landkarte Stecknadeln platzierte, um über das Vorrücken der Alliierten im Bilde zu sein. Zwar wurde Aachen bereits im September 1944 von der US-Armee eingenommen und kapitulierte, aber bis zur Eroberung von Köln dauert es noch Monate, sie gelang erst Anfang März 1945. In diesen wenigen Monaten verlor die US-Armee mehr Soldaten in Kämpfen rund um die Eifel, als später im für die US-Geschichte so verlustreichen Vietnamkrieg. Mehr als 50.000 GI's ließen dort in dem hügeligen Gebiet westlich des Rheins ihr Leben.

Die Rote Armee zog im Januar 1945 fast zwei Millionen Soldaten am östlichen Oderufer zusammen, um sich mit einer unvorstellbaren militärischen Übermacht auf den finalen Kampf um Berlin in Stellung zu bringen. Derweil bereiteten sich der in Berlin verbliebene Volkssturm und die aufgeriebenen Reste einstiger Divisionen auf die Verteidigung der Reichshauptstadt vor. Alle wehrfähigen jungen und alten Männer mussten sich zum Waffendienst melden. Wer sich dem widersetzte, wurde von Standgerichten zum Tode verurteilt und erschossen oder aufgehängt. Feldjäger-Kommandos und SS-Männer liefen durch die sturmreif gebombten Straßenschluchten, drangen in Keller und Hinterhöfe vor, um Deserteure aufzuspüren und sofort abschreckungswirksam öffentlich aufzuhängen. Die U-Bahnhöfe waren längst zu unterirdischen Ersatzwelten mutiert, in denen Frauen, Kinder und Alte ausharrten, improvisierte Lazarette eingerichtet waren und Schnapsflaschen als Narkotikum gegen das heraufziehende Grauen herumgereicht wurden.

Die noch in Berlin lebenden untergetauchten, männlichen Juden wie Jochen und sein Freund Bruno Gumpel durften in diesen letzten Wochen nicht mal mehr ihre Nasenspitze ins Freie stecken. „Besser" waren Ruth, Ellen und ihre Mütter dran, sie konnten sich in den Bunker- und Luftschutzkellerwelten mittlerweile ohne Furcht, nach ihren Ausweisen gefragt zu werden, unter die Volksdeutschen mischen.

Eugen Friede war nach seiner Verhaftung schließlich im jüdischen Krankenhaus im Berliner Bezirk Wedding gelandet. Er wurde noch für die Vorbereitung des Hochverratsprozesses gegen Hans Winkler und weitere christliche Mitglieder der Widerstandsgruppe gebraucht. Eugen durfte als jüdischer Mitverschwörer zwar nicht vor einem deutschen Gericht erscheinen – nach dem auf dem Nürnberger Parteitag 1935 verkündeten „Reichsbürgergesetz" zählten jüdische Staatsbürger nicht als Reichsbürger und hatten keinerlei politischen Rechte –, doch man hoffte, aus dem 18-Jährigen möglicherweise Details über Handlungen der Gruppe herausprügeln zu können. So wurde Eugen hier festgehalten in einem der merkwürdigsten Orte der schrecklichen zwölfjährigen Geschichte des NS-Regimes. Warum es das jüdische Krankenhaus überhaupt noch gab, ist historisch nicht zweifelsfrei geklärt. Vieles spricht dafür, dass die Drangsalierung der jüdischen Bevölkerung in Berlin dies eher zufällig mit sich brachte. Teile des jüdischen Krankenhauses wurden als Wehrmachtslazarett genutzt, so existierte die Einrichtung einfach weiter. Hinzu kam, dass auch, nachdem Berlin im Juni 1943 offiziell für judenfrei erklärt worden war, weiterhin wöchentlich jüdische Untergetauchte gefasst und bis zu ihrer Deportation irgendwo untergebracht werden mussten. Dazu diente zunächst das ehemalige jüdische Altenheim in der Großen Hamburger Straße. Lediglich ernsthaft Erkrankte oder Inhaftierte, die sich in Selbstmordabsicht lebensgefährlich verletzt hatten – aus Angst vor der Deportation versuchten zahlreiche von ihnen, sich zu töten –, kamen in das jüdische Krankenhaus. „Arischen" Krankenhäusern war es verboten, Juden zu behandeln. So konnten einige wenige jüdische Ärzte und Schwestern weiter ihrer Arbeit nachgehen. Auch jene durch ihre Ehe mit einem nichtjüdischen Partner geschützten Berliner Juden gehörten zu ihren Patienten. Im Frühjahr 1944 wurde die Deportationssammelstelle Große Hamburger Straße geschlossen, woraufhin man im Krankenhaus das Gebäude der Pathologie zur Sammelstelle umfunktionierte, abgetrennt mit Stacheldraht und des Nachts hell angestrahlt. Fortan kamen alle gefangen genommenen Juden – zunehmend auch aus den sogenannten Mischehen – in das unter Gestapo-Aufsicht stehende jüdische Krankenhaus. Die Gefangenen verbrachten ihre Zeit in den überfüllten Krankenräumen, schliefen in den eisernen Krankenbetten. Wer hier keinen Platz fand, lag auf Strohmatten oder auf dem kalten, gefließten Boden. Die Türen der Zimmer blieben offen, sodass die Inhaftierten sich relativ frei im Trakt bewegen konnten.

Ab Ende Januar 1945, mit dem Näherkommen der Front, wurde die Pathologie des Krankenhauses zu einem Ort, in dem sowohl Hoffnung als auch Resignation zu spüren waren, die jüdischen Gefangenen sich in einem Zustand befanden, der sie gleichermaßen an Untergang und Erlösung glauben ließ. Wurde ein draußen Festgenommener hierher verbracht, wartete man begierig auf Neuigkeiten, sofort verbreiteten sich Gerüchte, es wurde spekuliert, ob die Russen bereits Berliner Vororte erreicht hätten, und SS und Gestapo bereits anfange, sich vor der Roten Armee aus dem Staub zu machten. Damit verbunden aber war die große Angst – zu Recht –, dass sie vor der möglichen Flucht ihrer Peiniger noch von diesen ermordet würden.

Eugen erinnert sich an einen Untergetauchten, einen jungen Mann, der auf der Straße in SS-Uniform angetroffen, verhaftet und in die Sammelstelle gebracht wurde. Sein Name war Günther Gersson, man hatte ihn furchtbar verprügelt, da man wissen wollte, wie er es geschafft hatte, an die SS-Uniform zu kommen, und wie er sich fast zwei Jahre lang so getarnt in Berlin durchschlagen konnte. Trotz Folter hatte er nicht verraten, dass er mit einer christlichen jungen Frau liiert war, und deren Vater, ein ehemaliger Kameramann, ihm geholfen hatte, sich zu verstecken. Dieser Mann, Bruno Stindt, der später als Mitarbeiter der Riefenstahl AG identifiziert wurde, war mit Kriegsbeginn vom Bildberichterstatter in ein benachbartes Sujet gewechselt: Er richtete in SS-Unterkünften in Berlin und Brandenburg deren Gesellschaftsräume mit Filmprojektoren ein. Für diese technischen Installationen zog er seinen mit neuer Identität ausgestatteten, jüdischen Schwiegersohn heran. So konnte Stindt eine SS-Uniform bekommen und Gunther Gersson derart unauffällig bei sich beschäftigen. Diese schier unglaubliche Geschichte wurde später auch von einem weiteren Überlebenden, Dagobert Levin, berichtet. Dieser ebenfalls untergetauchte jüdische Berliner kannte Gunther Gersson aus der Jugend. Als sie sich in der Illegalität begegneten, nahm Gersson Levin zu einem Installationseinsatz mit in ein SS-Heim. Levin berichtet dies in seinem Buch „Abgetaucht". Eugen Friede erfuhr von dieser geradezu tollkühnen Rettungsgeschichte im jüdischen Krankenhaus von Günther Gersson. Man hatte ihn durch eine dumme Nachlässigkeit kurz vor Kriegsende erwischt. Er war in der Nähe des KaDeWe einem Feldjäger aufgefallen, da er seine Mütze nicht auf hatte, wie es Vorschrift war, und auch nicht an der Koppel trug.

In der Pathologie des Krankenhauses begegnete Eugen auch der meistgehassten Person aller jüdischen Berliner, er sah Stella Goldschlag Kübler. Sie lief hier herum, pflegte Kontakte mit den Gestapo-Beamten, doch sie wirkte bereits weniger selbstbewusst, als sie es zuvor noch gewesen war. Sie schien bedrückt, ahnte, dass das Ende für sie alles andere als eine Befreiung sein würde. Doch im Krankenhaus blieb sie unantastbar, niemand wagte es, sie zu bedrohen oder ihr Vorwürfe zu machen, erinnert sich Eugen Friede. Noch war sie geschützt durch die Gestapo und deren Sammelstellenleiter Walter Dobberke. Auch an den stiernackigen Gestapo-Mann erinnert sich Eugen Friede: Einer aus seinem Krankenzimmer hatte mit anderen zu fliehen versucht, sie wurden aber erwischt. Zur Strafe sperrte man sie in einen Kellerraum, den Bunker. Tags drauf erschien Dobberke. Er kam herein, verfluchte die Gefangenen und befahl ihnen, sich nebeneinander aufzustellen. Dann schnallte er seinen Ochsenziemer ab, drohte ihnen, dass derjenige, der zu schreien wage, von ihm totgeschlagen werde. Dann schlug er nacheinander jedem der vor ihm stehenden Männer mit voller Wucht über Kopf und Gesicht. Dabei verausgabte er sich so sehr, erinnert sich Eugen, dass er zu schwitzen begann, sich sein Gesicht krebsrot färbte. Eugen war der Vorletzte in der Reihe. Noch heute spürt er die ungeheure Wucht der Peitschenschläge, die ihm über den Kopf gezogen wurden. Schläge, die man nie vergisst, und die Menschen etwas von ihrer bis dahin empfundenen Unversehrbarkeit nehmen. Doch so sehr Dobberke seine Gefangenen auch quälte, sie bissen die Zähne zusammen, stöhnten auf vor Schmerz, aber keiner schrie oder warf sich auf den Boden. Dann reichte es dem Lagerleiter. Er wischte sich die Stirn ab, ging zur Tür hinaus. Kurz danach kam er zurück und warf den Männern eine Packung Zigaretten hinein. „War ein verrückter Typ, ein Sadist, dieser Dobberke, wirft dann eine Packung Zigaretten rein, als wolle er damit sagen, gut gemacht, dass ihr nicht jammert, Männer. Eine verrückte Situation. Aber ich hatte trotzdem das Gefühl, ich komme hier noch irgendwie heil raus. Ich weiß auch nicht, warum."

Am 27. März 1945 ging der letzte Transport nach Theresienstadt. Eugen wollte mitfahren, seiner Mutter hinterher. Anja Friede war wenige Wochen zuvor, am 2. Februar, von Berlin aus dorthin deportiert worden. Während bereits weite Teile „Großdeutschlands" von den Alliierten eingenommen waren und die Rote Armee zum Sturm auf Berlin angesetzt hatte, wurden noch Juden in das per Zug erreichbare Lager geschickt! Die Gestapo wollte Eugen allerdings in Berlin behalten. Er sollte bei dem Prozess gegen Winkler und die anderen für die Anklage zur Verfügung stehen. Doch soweit würde es nicht mehr kommen. Der Hochverratsprozess gegen die christlichen Mitglieder der Widerstandsgruppe war für den 23. April vor dem Volksgerichtshof geplant, der wegen der Kampfhandlungen in Berlin bereits nach Potsdam verlegt worden war. Aber auch dort fand keine Verhandlung mehr statt. Der NS-Staat brach wie ein gewaltiges Monstrum auseinander. Justizangestellte und Richter setzten sich einen Tag später, am 24. April, ab, flüchtend vor der Roten Armee. So kam es nicht mehr zur Verhängung der vorgesehenen Todesstrafe für die Mitglieder der Gemeinschaft für Frieden und Aufbau. Und auch Eugen überlebte. Er wurde aus einem Folterbunker einer Gestapo-Stelle in Berlin-Mitte am Tag, an dem der Prozess stattfinden sollte, von einem SS-Mann zu seiner unfassbaren Überraschung kurzerhand entlassen. Eugen wird diesen Tag nie vergessen. Es war der 23. April, sein 19. Geburtstag! Er saß inmitten mit Ketten gefesselter, auf ihre Hinrichtung wartender polnischer und russischer Zwangsarbeiter, die beim Fluchtversuch gefangen genommen worden waren. Plötzlich – er saß dort bereits ein paar Tage in völliger Dunkelheit, wurde die Zellentür aufgerissen, und ein Mann schrie hinein. „Und dann stand plötzlich ein SS-Mann vor mir, einer wie aus dem Bilderbuch. Und er fragte nach meinem Namen, und schrie: Ist hier noch ein Deutscher unter euch Schweinen? Und ich antwortete: Eugen Friede, und er schnauzte mich an: Eugen *Israel* Friede, und ich nickte, und dann packte er mich am Kragen und schob mich vor sich her und gab mir einen Tritt in den Hintern, und ich stand draußen." In der zerstörten Großen Hamburger Straße, nur ein paar hundert Meter von seiner ehemaligen Schule entfernt. Dort, wo er sich vor einer gefühlten Ewigkeit mit seiner Freundin Helga fotografieren ließ.

Eugen musste sich noch eine gute Woche im Zentrum des Häuserkampfes zwischen der Roten Armee und Wehrmachtsverteidigern durchschlagen. Aber es ging gut, er konnte sich, wie Tausende andere Berliner im Gebäude der Reichsbank retten. Er sah dort auch den ersten russischen Soldaten: „Ich hatte bisher an die Nazi-Propaganda geglaubt und dachte, die sehen alle aus wie Penner. Aber der sah aus wie aus der Operette. Rote, eng sitzende Jacke mit goldenen Streifen und allerlei

Abzeichen, schwarze saubere Hosen an, selbst die Schuhe, pikobello. Und dem hab ich mit ein paar Brocken Russisch erzählt, dass ich Jude bin und befreit, und da gab er mir einen Zettel mit einem Stempel drauf und dann war ich frei."

Erich Möller erteilte dem Leiter des Deportationslagers Walter Dobberke den Befehl, alle noch dort sich befindenden Juden zu liquidieren.

Zur gleichen Zeit endete auch das Drama im jüdischen Krankenhaus. Der beim Reichssicherheitshauptamt zuständige Beamte für Judenangelegenheiten, Erich Möller, erteilte dem Leiter des Deportationslagers Walter Dobberke den Befehl, alle noch dort sich befindenden Juden zu liquidieren. Die Nachricht verbreitete sich blitzschnell unter den dort bangenden, eingesperrten Juden. Ein Junge, der dem Lagerleiter gerade die Schuhe putzen musste, wurde Zeuge des Telefonates. Doch Dobberke widersetzte sich der Anordnung. Statt die Häftlinge zu erschießen, entließ er sie und löste das Lager auf. Da etliche Gefangene sich nicht auf die umkämpften Straßen im Berliner Wedding hinaustrauten, nicht im Moment ihrer Befreiung noch erschossen werden wollten, verteilte Dobberke sogar Entlassungsscheine. Jeder einzelne erhielt einen Zettel, der ihm seine Entlassung bestätigte. Damit wollte Dobberke offenbar einer späteren Anklage gegen ihn vorbauen, beweisen, dass er die Gefangenen entgegen des ihm erteilten Befehles freiließ. Dann tauchte Dobberke ab, wurde aber bereits wenige Wochen nach Kriegsende von sowjetischer Militärpolizei aufgegriffen. Er trug, so wurde dies von einem Zeugen bestätigt, bei seiner Verhaftung einen Judenstern an der Jacke und hatte gefälschte Papiere bei sich, die ihn als Juden auswiesen. Er starb bereits Monate später in einem sowjetischen Lager.

KAPITEL 6

SIE HABEN ÜBERLEBT!

ETWA 2000 JUDEN KÖNNEN SICH RETTEN –
UND ERFAHREN, WAS IHREN DEPORTIERTEN
LEIDENSGENOSSEN WIDERFUHR

In Kreuzberg, in der Naunynstraße, saßen in einem Luftschutzbunker Ruth und ihre Freundin Ellen mit ihren Müttern. Artillerie- und Explosionsgeräusche drangen zu ihnen herab. Oben tobte der Häuserkampf. Die vier jüdischen Frauen waren umgeben von „arischen" Anwohnerinnen, die nun alle derselbe Gedanke verband: Irgendwie heil der Hölle zu entkommen. Mrs. Gumpel erinnert sich genau daran, was dann geschah: Als es für eine Weile ruhiger war, wagte sie sich nach oben, wollte einen Eimer Wasser für alle in den Keller holen. Sie stand an einer noch funktionierenden Pumpe und sah plötzlich zwei russische Fahrzeuge in die Hofeinfahrt einbiegen. Aufgeregt und voller Freude stürzte sie zurück in den Luftschutzkeller. „Die Russen sind da, die Russen sind da! Der Krieg ist aus", jubelte sie und umarmte ihre Mutter, Ellen und deren Mutter Charlotte. Die anderen Frauen reagierten verstört, verstanden nicht, warum die junge Frau derart euphorisch reagierte. Sie ahnten nicht, dass sie seit Tagen mit untergetauchten jüdischen Frauen zusammensaßen, die mit dem Eintreffen der Russen ganz andere Erwartungen verbanden als sie. „Dann sind wir raus aus dem Keller und haben uns gefreut, und nach ein paar Tagen kam mein Vater auch von den Gehres – ich kann gar nicht darüber sprechen." Doch noch waren ihr Bruder und auch Bruno nicht in Sicherheit. Als sie sich in den letzten Apriltagen bei der Eroberung Kreuzbergs durch die Rote Armee schließlich ans Tageslicht trauten, wären sie um ein Haar noch erschossen worden. Gestorben, aufgrund eines tragischen Irrtums: „Und dann standen mein Bruder und Bruno auf dem Hof der Fabrik. Da kam ein Soldat mit Pistole auf sie zu. Mein Bruder sagte: Wir sind Juden. Der Russe konnte ein bisschen jiddisch und erwiderte: Das glaube ich nicht, Hitler hat alle umgebracht – da haben die zwei gesagt: Nein, nein, wir sind wirklich Juden – und er: Wenn ihr Juden seid, dann sagt das *Schma Jisrael,* das jüdische Gebet auf, das jeder jüdische Mensch kennt. Auch wenn er nicht religiös ist. Und die haben das beide aufgesagt, und darauf hat der Russe sie umarmt. Es kam heraus, er war ein jüdischer Offizier in der Armee. Wir wussten gar nicht, dass es auch jüdische Soldaten gab."

S. 138: Jochen Arndt und Bruno Gumpel nach der Befreiung durch die Rote Armee
S. 140: In der Kreuzberger Stallschreiberstraße, Februar 1945

„Da kam ein Soldat mit Pistole auf sie zu. Mein Bruder sagte:
Wir sind Juden. Der Russe konnte ein bisschen jiddisch
und erwiderte: Das glaube ich nicht, Hitler hat alle umgebracht.“

Hanni Lévy und Viktoria Kolzer hielten sich in der kleinen Hinterhofwohnung auf, als sie Geräusche von der Straße hörten. Motorengeräusche, die sie bisher nicht kannten. Dann vernahmen sie, wie Männer in Stiefeln durch den Innenhof rannten und im Keller verschwanden. Es wurde gebrüllt, und eine der Stimmen schrie in einer Sprache, die Hanni zum ersten Mal hörte. Russisch. Sie schob die Verdunklungspappe vorsichtig nur einen Spalt breit beiseite und sah zwei Russen, die einen deutschen Soldaten aus dem Hauseingang zerrten. Dabei entdeckte einer der Rotarmisten, dass sie jemand aus einem Fensterspalt beobachtete. Er lief ans Fenster und schlug plötzlich und mit aller Gewalt mit seinem Gewehrkolben die Scheibe ein. Hanni und die hinter ihr stehende Viktoria Kolzer sprangen zu Tode erschrocken zurück, als der Soldat seinen Kopf zum Fenster hineinsteckte: „Deutsche Frau, deutsche Frau“, hörte Hanni ihn sagen, worauf sie ihm entgegenrief: „Nix deutsche Frau, ich bin Jüdin!“ „Aber das hat mir ja keiner geglaubt: Du nix Jüdin, die hat Hitler alle tot gemacht. Und du bist blond“, erinnert sich die Frau Lévy an diesen Moment, als der russische Soldat vor ihrem Fenster stand. Die Situation drohte zu eskalieren, der Soldat machte bereits Anstalten, ins Zimmer zu springen, als sein Kamerad ihn an der Uniform wegzog, damit er ihm helfe den gefangen genommenen deutschen Soldat abzutransportieren. „Wir kommen wieder heute abend“, rief er Hanni hinterher. „Heute Nacht kommen wir dich besuchen! Aber ich hab nicht gewartet, und dann sind wir geflüchtet. Bis Zehlendorf zu Fuß. Und dann war endlich der Krieg zu Ende.“

Hanni gelang es nur allmählich, sich wieder an ein Leben in der Legalität zu gewöhnen, wieder da zu sein, wie sie es nannte. Schwierigkeiten bereitete ihr, sich wieder an ihren alten Namen zu gewöhnen. Hannelore Weissenberg statt Hannelore Winkler, wie sie mehr als zwei Jahre hieß. Und es dauerte ein paar Monate, bis sie das ganze Ausmaß des unvorstellbaren Leids, das den Juden in den Konzentrationslagern angetan wurde, erfuhr und zu begreifen begann. Sie wusste es vorher nicht, hatte nicht davon gehört, dass die Menschen in Auschwitz nach ihrer Ankunft selektiert und alle, die nicht arbeitsfähig schienen, sofort ins Gas getrieben wurden. Hanni Lévy sah in ihrer Unkenntnis der wahren Katastrophe, die auf das jüdische Volk durch die Deutschen hereingebrochen war, auch einen der Gründe, warum sie in ihren Jahren in der Illegalität, im Verstecktsein, nicht zu hassen begann. „Ich konnte nicht hassen, weil ich nicht wusste, welchen schrecklichen Dingen ich entgangen bin."

Ein Bruder ihrer bereits vor Beginn der Deportationen verstorbenen Mutter, der rechtzeitig nach Frankreich hatte flüchten können, entdeckte Hanni ein knappes Jahr nach Kriegsende auf einer Roten-Kreuz-Liste überlebender jüdischer Deutscher. Er holte die 20-Jährige zu sich nach Paris. Nach Montmatre. In eine unzerstörte Stadt. Seitdem lebt Hannelore Weissenberg hier. Bereits 1947 lernte sie ihren künftigen Ehemann kennen, Monsieur Lévy, auch er ein Deutscher, der nun in Frankreich ein neues Leben begann. Sie heirateten – „ich hab sogar noch in Blond geheiratet" – und bauten zusammen einen Malerhandwerksbetrieb auf. Er leitete die Renovierungsarbeiten, von denen es im Paris der Nachkriegsjahrzehnte mehr als genug gab, sie saß zu Hause am Telefon, nahm die Aufträge entgegen und schrieb die Rechnungen. Bald bekamen sie zwei Kinder, einen Sohn, René und eine Tochter, Nicole. Endlich hatte das Waisenmädchen, das ganz alleine – aber vielleicht auch gerade deshalb – in Berlin überlebte, eine neue Familie. Der Kontakt zu Mutti, so nennt sie Viktoria Kolzer bis heute, riss bis zu deren Tod 1974 nicht ab. Noch heute sind sie und ihre Familie, zu der fünf Enkelkinder und ein Urenkel gehören, mit der Tochter von Oskar Kolzer – mit dem Hanni einst spazieren ging und der sie bat, sich um ihre Mutter zu kümmern – eng befreundet. Auch die Kinder von Frau Schrader, so heißt Oskars Tochter, reisen immer wieder nach Paris, setzen die Freundschaft fort. Zudem bemühte sich Hanni darum, dass der Name ihrer Retterin in Jad Vashem aufgenommen wurde, die höchste Ehrung, die der Staat Israel für Menschen zu vergeben hat, die halfen, Menschen vor der Verfolgung durch die Nazis zu retten. Und seit 2010 hängt an der Außenfassade der kleinen Zwcizimmerwohnung, in der Hanni bei Frau Kolzer überlebt hat, eine Gedenktafel. Angebracht vom neuen Besitzer der Wohnung, einem Norweger, und den vielen Nachbarn im Haus, die alle die wunderbare Geschichte kennen und erzählen, dass Viktoria und Jean Kolzer hier das jüdische Waisenmädchen Hannelore Weissenberg zu sich nahmen und retteten.

Ruth Arndt und Bruno Gumpel heirateten am 29. September 1945 in Berlin. Ihr Bruder Erich Joachim Arndt, von Ruth in unserem Film-interview stets Jochen genannt, hatte bereits am 16. Juni seine Freundin Ellen geheiratet. Max und Martha Köhler, seine und ihre Retter, waren die Trauzeugen. Am 7. Oktober feierten die Geschwister ihre Hochzeit in der notdürftig wieder hergerichteten Synagoge am heutigen Fraenkel-ufer in Kreuzberg. Es war die zweite jüdische Hochzeit dort nach dem Ende der NS-Terrorherrschaft. Die Vier hatten überlebt, und mit ihnen weitere etwa 2000 jüdische Berliner in ihrer Stadt.

Die NS-Verbrecher haben ihr Ziel, Berlin judenfrei zu machen, nicht erreicht. Trotz des Terrors haben jüdische Berliner in der Illegalität überlebt, sind unsichtbar geworden für ihre Verfolger. Möglich wurde dies, weil sie fest entschlossen waren, sich nicht deportieren zu lassen und un-tertauchten. Es wäre aber nicht gelungen, wenn nicht auch christliche Deutsche ihnen geholfen hätten. Ihnen Unterschlupf gewährten, mit ihnen ihre Essenrationen teilten, ihnen bei der Vermittlung von illegalen Arbeitsmöglichkeiten geholfen hätten. Es gab unter den deutsch-landweit geschätzten 20.000 Helfern, von denen der Großteil in Berlin lebte, sicher auch einige, die von ihrer Hilfe profitierten, die die Lage der Untergetauchten ausnutzten. Sich an ihnen bereicherten oder sonstwie vergingen. Doch die meisten halfen, weil sie helfen wollten. Weil sie einem Impuls folgten, der sich regte, als sie gebraucht wurden. Die halfen, ohne sich über die Folgen Gedanken zu machen. Die sich nicht durch die Drohungen der Propaganda Bange machen und abschrecken ließen. Sie hielten damit das vielleicht wertvollste in dunkelster Zeit wach: Mitgefühl und Menschlichkeit.

Im Frühjahr 1946 erfuhren die Familien Arndt, Gumpel und Lewinsky, dass vom Nationalsozialismus Verfolgten, Opfern des Faschismus, die Möglichkeit geboten wurde, Deutschland zu verlassen. Sie meldeten sich bei dem Programm der US-Regierung an, und es klappte. Am 10. Mai 1946 gingen Ruth und Bruno Gumpel, Jochen und Ellen Arndt sowie Ellens Mutter Charlotte Lewinsky an Bord des US-Truppentransporters „Marine Flasher". Mit ihnen 800 weitere Juden aus ganz Europa, die mit dem ersten Schiff für Menschen, die den Holocaust überlebt hatten, in die Neue Welt aufbrachen. Ruth Gumpel erinnert sich: „Wir waren das erste Schiff, dass die Untergetauchten und die KZler dabei hatte. Wir haben Zigaretten bekommen und fünf Dollar. Und herrliches Essen. Armee-Essen, fabelhaft, aber leider waren mein Mann und ich seekrank.

S. 145 oben: Aufge-taucht: Jochen Arndt und Bruno Gumpel *unten:* Eugen in Haft

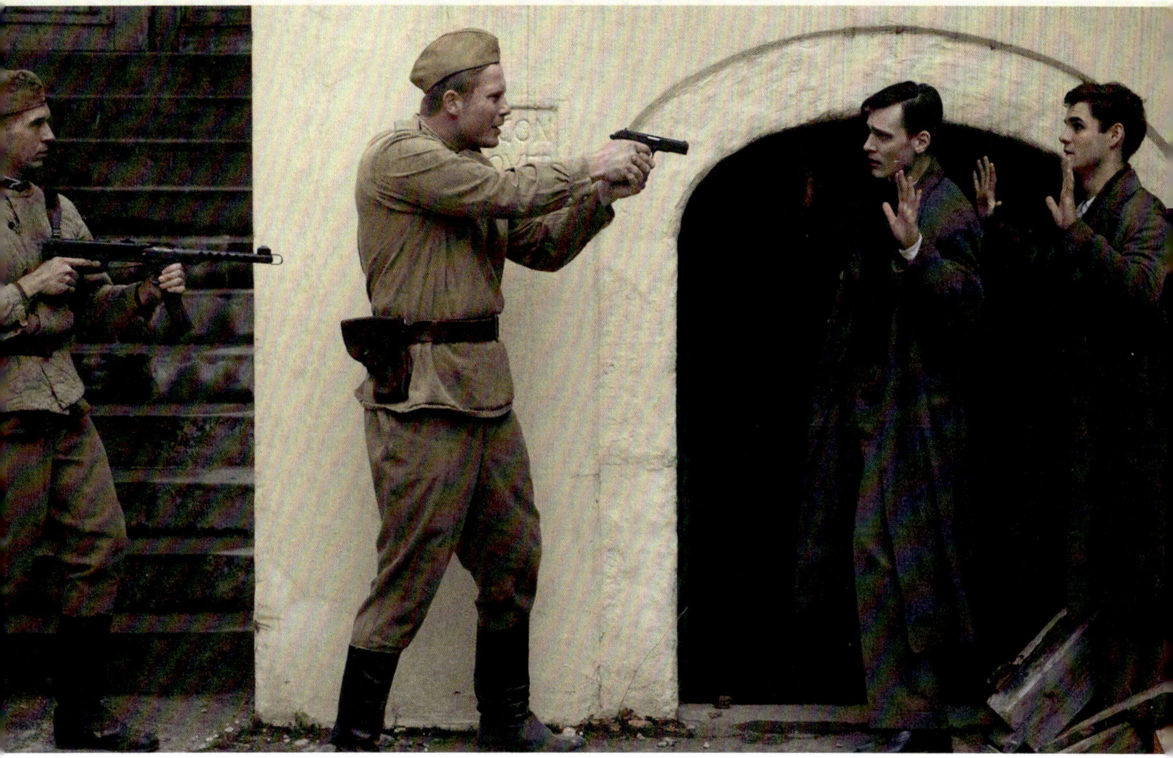

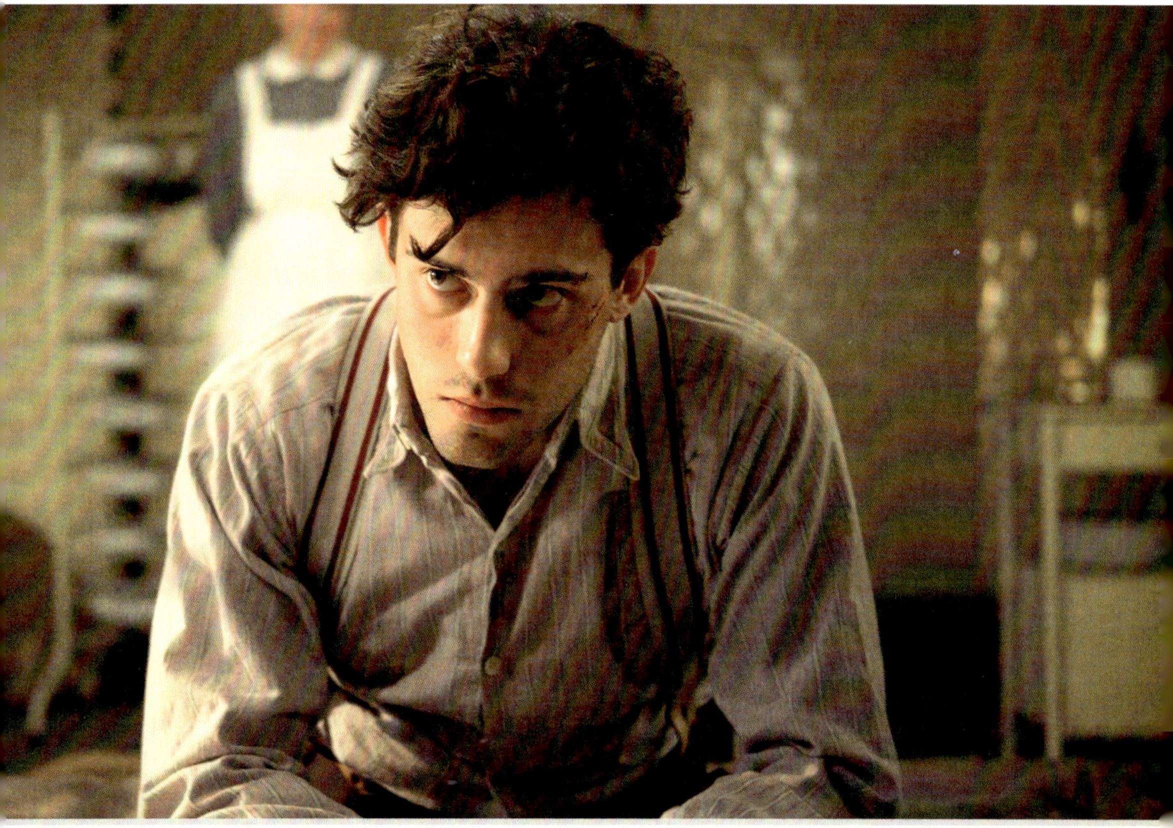

Ellen und meinem Bruder, denen ging es sehr gut. Dann kamen wir am 19. Mai zuerst an der Statue of Liberty vorbei, das war natürlich ein Erlebnis, wir konnten gar nicht glauben, dass wir nun in den USA sind. – Wir konnten es gar nicht glauben. Und dann legte das Schiff an, und am nächsten Tag kamen die kleinen Schiffe, die das Große hineingeleiten. Es war unbeschreiblich, ich kann gar nicht wiedergeben, wie ich mich fühlte. Wir wussten, es wird gut, wir sind frei, wir werden ein vernünftiges Leben haben. In New York am Pier hat uns das Jüdische Joint Komitee Essen-Tickets in einem koscheren Restaurant ohne Bezahlen gegeben. Sie haben uns Unterkunft besorgt, waren miese Hotels, aber okay, wir haben es zurecht gemacht. Wir waren sieben Leute, und es machte nichts, wir waren in Amerika."

Eugen trat im Sommer 1945 der KPD bei. Es ist zugegangen wie im wilden Westen, erinnert er sich: Ein kommunistischer Agitator stand in einer Trümmerlandschaft und redete auf die ihn anstarrenden Anwohner ein. Durch sein Megaphon lobte er Ernst Thälmann und Josef Stalin. Eugen war begeistert, denn er hatte den Kommunisten sein Überleben zu verdanken. Es waren alles kleine Leute, die ihm geholfen hatten. Menschen, die nicht viel besaßen, und doch zu teilen bereit waren. Und: Die Rote Armee hatte Berlin von den Nazis befreit – was lag für einen 19-jährigen jüdischen jungen Mann näher, als darauf zu setzen, dass diese Leute das neue Deutschland aufbauen würden?

Doch die so mutigen Leute merkten schnell, wie sie um ihre Hoffnungen und Erwartungen an ein neues Deutschland betrogen wurden.

Auch seine Mutter Anja überlebte, sie kam im Sommer aus Theresienstadt zurück. Sie berichtete, dass Fancia Grün dort im März als Warnung für die übrigen Gefangenen wegen ihres erfolgreichen Ausbruchs erschossen wurde. Werner Scharff überlebte die NS-Schrecken ebenfalls nicht. Er wurde im März im Konzentrationslager Sachsenhausen bei Berlin hingerichtet. Mitgefangene erzählten später, dass er trotz seiner ausweglosen Lage an sein Überleben glaubte, nach dem Krieg mit anpacken wollte, ein neues, besseres Deutschland aufzubauen. Seinem beharrlichen Schweigen unter der Gestapo-Folter war es schließlich zu verdanken, dass der Prozess gegen die Widerstandsgruppe erst im im April 1945 angesetzt werden konnte.

All das erfuhr Eugen, als er im Sommer 1945 nach Luckenwalde kam. Die nichtjüdischen Mitglieder hatten alle überlebt, auch Hans Winkler war aus der Haft zurückgekehrt. Doch die so mutigen Leute merkten schnell, wie sie um ihre Hoffnungen und Erwartungen an ein neues Deutschland betrogen wurden. Bei der Vergabe von Posten in der neu aufzubauenden Gemeindevertretung wurden sie übergangen. Die Kommunisten hatten bereits alle Ämter unter den eigenen Leuten verteilt. Hans Winkler, dessen mutiges Engagement gegen die Nazis unter den neuen Verantwortlichen bekannt war, versuchte man, mit dem Posten eines Beauftragten für die Kohlezuteilung abzufinden. Der Wirt verlor seine Bahnhofskneipe, das Lokal wurde von den Sowjets kurzerhand konfisziert. Die Hoffnungen an die neue Zeit verflüchtigten sich wie der Morgentau an einem heißen Julitag. Auch für Eugen blieb die Enttäuschung nicht aus. Zunächst aber wurde er auf eine Landesparteischule in Schmerwitz bei Potsdam geschickt und engagierte sich danach als Mitarbeiter der Lokalzeitung Märkische Volksstimme. Im Sommer 1948 wurde der neue Mann seiner Mutter Anja, ebenfalls ein jüdischer Überlebender der Nazi-Gräuel, des Schwarzhandels beschuldigt und von den sowjetischen Besatzern zu zehn Jahren Zuchthaus verurteilt. Der zu Unrecht Angeklagte resignierte ob des unfassbaren Unrechtes und erhängte sich kurz nach dem Verdikt. Eugen Friede wurde infolge falscher Anschuldigen mehr als sechs Monate ohne Anklage eingesperrt; zum Schluss saß er im selben Gefängnis wie kurz nach seiner Verhaftung durch die Gestapo. Sofort nach seiner Entlassung verließ Eugen Friede die sowjetische Besatzungszone und ging nach West-Berlin, wo er im selben Jahr seine neue Freundin Inge heiratete. Beide ließen Deutschland hinter sich und lebten einige Jahre in Kanada, wo Eugen ein deutsches Restaurant eröffnete und erfolgreich betrieb. Später musste er darüber schmunzeln – ausgerechnet deutsche Küche – aber er fühlte sich immer an erster Stelle als Deutscher. Trotz allem. Eugen bekam mit Inge drei Kinder und lebt heute, nach Inges Tod, mit seiner Lebensgefährtin Roswitha Mayer in Kronberg im Taunus. Dort sind auch ihre Tochter und ein Enkelkind zu Hause, die staunend Eugens Geschichte hörten und weitererzählen. Kronbergs Einwohner sind heute stolz darauf, dass einer von ihnen ein vom Bundespräsidenten ausgezeichneter ehemaliger Widerstandskämpfer gegen das Naziregime ist. Nach dem Zusammenbruch der DDR schrieb Eugen zwei Bücher über die mutigen kleinen Leute von Luckenwalde, sodass die Öffentlichkeit endlich von dieser bis dahin unerzählten, schier unglaublichen Geschichte erfuhr. Und Eugen sorgte dafür, dass auch die Namen von Hans Winkler und seiner Familie als *Gerechte unter den Völkern* in Jad Vashem Aufnahme fanden.

Cioma Schönhaus blieb in der Schweiz. Durch Vermittlung kirchlicher Unterstützer konnte er an der Kunstschule in Basel studieren und gründete dort in den 50er-Jahren eine Werbeagentur, die er viele Jahre erfolgreich führte. Damals kam es zu einer Begegnung, die seine Jahre im Berliner Untergrund während der Nazizeit sofort wieder lebendig werden ließen. Cioma erkannte auf einer Straße in der belebten Baseler Innenstadt einen Mann mit sehr starken Brillengläsern wieder. Er sprach ihn an, sagte, dass er ihn kenne, entgegnete auf die Frage des anderen „woher denn?": „Ich hab für Sie Papiere frisiert." Der Angesprochene wusste sofort, worum es ging. Cioma hatte für ihn 1942 in Berlin Dokumente gefälscht, dessen Foto in Wehrmachts-Entlassungspapiere hineingebastelt. An das Gesicht erinnerte er sich so genau, weil der Mann eine Brille trug, „die so Gläser wie Einweckgläser" hatte. Es war eine seiner ersten Fälschungsarbeiten für Edith Wolff, die damals jemanden suchte, der ihrem Freund Jiztak Schwersenz Wehrmachtspapiere präparieren konnte, die ihm bescheinigten, dass er wegen seiner schlechten Sehkraft wehrdienstuntauglich sei. Schwersenz umarmte Cioma, wusste nun, wem er seine Rettung verdankte. Ansonsten behielt Cioma in der Schweiz über viele Jahre seine abenteuerlichen Geschichten aus der Berliner Illegalität für sich. Nur im Familienkreis erzählte er immer wieder gerne, wie er seine Verfolger genarrt und überlistet hatte.

Viele Jahre später kam es zu einer weiteren Begegnung mit jemandem aus dem Untergrund. In den 90er-Jahren klingelte eines Nachmittags das Telefon bei Cioma in seinem Haus in Biel-Benken bei Basel. Er hob ab, und es meldete sich eine ältere Dame. Es war Stella, die nun gar nicht weit von ihm entfernt lebte, wie sie ihm erzählte. Sie hatte Berlin irgendwann verlassen, war nach Freiburg gezogen, wo sie die Schatten der Vergangenheit endlich abzuschütteln hoffte. Doch ein ehemaliger Mitschüler, der US-Bürger Peter Wyden, hatte sie aufgespürt und sie mit ihrer Geschichte konfrontiert. Mit ihr ein langes Gespräch geführt und angekündigt, dass er ein Buch über sie und ihre Zeit in Berlin nach Beginn der Deportationen schreiben werde. Nun war alles wieder aufgebrochen und hochgekommen: Wie Stella für die Gestapo zur Jagd nach anderen Untergetauchten losgeschickt wurde, und wie sie vorgegangen war. Cioma hatte versucht, so erzählt er uns, Stella zu entlasten, denn niemand kann wissen, wie er sich unter der Folter verhalten würde. Man hatte gedroht, ihr das Gesicht zu zerschneiden, wenn sie nicht auf das Spitzelangebot eingehe. Was hätte sie tun sollen, versuchte er die bereits 70-jährige Stella zu beruhigen, die als 20-Jährige gewiss keine Heldin war. Aber wer ist schon zum Helden geboren? fragt er. Er selbst empfindet sich auch nicht als Held. Er hatte zwar unter schwierigsten Umständen und ständiger Lebensgefahr für weit über 100 untergetauchte jüdische Berliner Ausweispapiere präpariert und damit geholfen, ihnen das Leben zu retten. Aber Cioma sieht sich nur als Teil der Gruppe, die sich um Dr. Franz Kaufmann verbündet hatte, um zu helfen. Er ist der Meinung, dass nicht *er* der Held unter diesen Menschen war, sondern Helene Jacobs. Jene Frau, die von den Nazis nicht unmittelbar bedroht war, diesen aber entgegentrat – allein weil sie das unfassbar Schreckliche sah, das das Regime ihren jüdischen Mitmenschen antat. Als Helene Jacobs im Zuge der Aufdeckung der Kaufmann-Gruppe verhaftet wurde, stellten die Vernehmer auch fest, dass sie Pakete für Deportierte nach Auschwitz geschickt hatte. Aus deren Sicht ein Affront gegen die NS-Rassenideologie. „Warum haben Sie denn die Pakete nach Auschwitz geschickt zu den Juden?", fragte der Gestapo-Vernehmer Helene. „Weil es Menschen sind. Finden sie das vom menschlichen Standpunkt aus etwas verwerflich?" „Vom menschlichen Standpunkt aus nicht", antwortet der Gestapo-Beamte, „aber vom nationalsozialistischen!" „Ach so, dann machen sie also einen Unterschied zwischen nationalsozialistisch und menschlich?" – so gab Cioma diese erinnerungswürdige Vernehmung wieder, die ihm Helene nach dem Krieg geschildert hatte.

> Er ist der Meinung, dass nicht *er* der Held unter diesen Menschen war, sondern Helene Jacobs. Jene Frau, die von den Nazis nicht unmittelbar bedroht war, diesen aber entgegentrat – allein weil sie das unfassbar Schreckliche sah, das das Regime ihren jüdischen Mitmenschen antat.

Die radikale, nationalsozialistische Ideologie ist es, die den Schrecken des NS-Regimes in der an grauenvollen Taten wahrlich nicht armen Menschheitsgeschichte eine schaurige Sonderstellung gibt. Hätte es nicht auch Menschen in Deutschland gegeben, ganz normale „Volksgenossen", die sich empört dieser durch nichts zu entschuldigen Unmenschlichkeit entgegengestellt hatten, wäre eine Versöhnung mit der Geschichte um ein Vielfaches schwieriger geworden.

Groß war das Entsetzen, das die in der Illegalität überlebenden Juden direkt nach dem Ende des Krieges ergriff, als sie – und die Welt – von den unvorstellbaren Gräueltaten der Nationalsozialisten erfuhren und ihnen klar wurde, wie ihre deportierten Verwandten und Freunde in den Lagern ermordet worden waren. Der Schock und das Trauma waren so gewaltig, dass viele der wenigen, die sich ihrer Vernichtung entziehen konnten, schwiegen und ihre Rettungsgeschichten lange für sich behielten. Angesichts der Shoah empfanden sie ihr eigenes Schicksal nicht von Bedeutung, da ihre Schrecken nicht mit denen ihrer Leidensgefährten in den Lagern vergleichbar gewesen wären. Erst viele Jahrzehnte später, in den 80er- und 90er-Jahren, als die Enkelgeneration sich für ihre bis dahin unerzählten Geschichten zu interessieren begann, hatten sie den Mut zu sprechen. Mit ihren Geschichten trat zutage, dass es mehr Menschen gab, die untergetaucht überlebt hatten, als gemeinhin angenommen. Und auch, dass die Zahl derer, die sich für die Verfolgten engagierten, höher war als vermutet. Es waren Verwandte, Freunde, Bekannte, aber auch ganz Fremde, die sich der Untergetauchten annahmen, ihnen Quartier gaben, Essen besorgten, falsche Papiere organisierten und ihnen zur Flucht verhalfen. Menschen, denen durchaus bewusst war, welcher Gefahr sie sich selbst damit auslieferten, die aber das Gebot der Menschlichkeit darüber stellten. Für Cioma Schönhaus war Helene Jacobs daher eine Heldin. Eine stille Heldin zumal, da ihre Geschichte, wie die der vielen weiteren Helfer damals, noch immer viel zu wenig bekannt ist.

S. 151: Eugen auf dem Weg in die Freiheit

THERESIENSTADT 28.

HIER WOHNTE
BORIS SCHÖNHAUS
JG. 1898
DEPORTIERT 13.6.1942
SOBIBOR
MAJDANEK
ERMORDET 16.8.1942

HIER WOHNTE
FANJA SCHÖNHAUS
GEB. BERMANN
JG. 1899
DEPORTIERT 13.6.1942
SOBIBOR
ERMORDET

NACHWORT
STILLE HELDEN

Heute ist es schwer vorstellbar, wie schnell und auf welch perfide Art und Weise die in Deutschland als Deutsche lebenden Juden ab 1933 aus der Gesellschaft gedrängt wurden. Von den ungefähr 500.000 Juden, die 1933 in Deutschland lebten, wurden circa 165.000 bis 1945 brutal ermordet.

Weil unsere Gesellschaft auch heute noch mit blankem Entsetzen vor diesen Zahlen steht, beschäftigen sich Film und Buch mit diesem Thema.

Nicht mehr als 5000 Juden überlebten das Inferno des Völkermords in Deutschland auf eine sehr ungewöhnliche Weise: Sie „tauchten unter", sie „flitzten", wie sich die Berliner ausdrückten, sie wurden unsichtbar oder wurden „U-Boote" – in Anlehnung an die Unterseeboote, zu deren militärischer Taktik das plötzliche Auf- und Abtauchen gehört. Es sind Ausdrücke für dasselbe Phänomen, und genau dies ist das Thema des Films und des Buches: Juden, ab Oktober 1941 von der Deportation bedroht, wagten den Schritt in eine unwägbare Existenz, indem sie ihre jüdische Identität ablegten und in eine angenommene „arische" schlüpften. Die Protagonisten des Films, die jungen Jüdinnen und Juden Ruth Arndt und Hanni Lévy, sowie Eugen Herman-Friede und Cioma Schönhaus waren zwar körperlich weiterhin anwesend, lebten aber nicht mehr unter ihrem wirklichen Namen an ihren polizeilich bekannten Anschriften. Sie legten den verordneten Stern ab, hatten ihre Kennkarte mit dem „J" entweder gut versteckt, weggeworfen oder verbrannt und versuchten, Unterkunft bei ihnen wohl gesonnenen Menschen zu finden. Zu Beginn machten etliche Untertauchwillige Pläne, wer sie beherbergen und wer ihnen bei der Nahrungssuche helfen könnte. Schon nach kurzer Zeit mussten diese in den meisten Fällen aufgegeben werden, weil zu viele Unwägbarkeiten sie durchkreuzten.

S. 152 oben: Das Mahnmal „Gleis 17" am Bahnhof Grunewald erinnert an tausende Berliner Juden, die von hier deportiert wurden. unten: „Stolpersteine" in Gedenken an die von den Nazis ermordeten Eltern Cioma Schönhaus'

Statt eines Plans folgte nun ein Leben von Stunde zu Stunde, von Tag zu Tag. Essen gab es nur von der Hand in den Mund. Übernachtet wurde überall, in Wohnungen fremder Leute, die ihnen Unterschlupf gewährten, in Kellern, in U-Bahn-Schächten, draußen in Parks oder auch in der fahrenden S-Bahn. Geistesgegenwärtig mussten die Flüchtlinge ihre ausgedachte Identität immer präsent haben und schlagfertig reagieren. Dieses Leben können wir uns heute kaum vorstellen, und wir müssen uns vor Augen führen, dass sich diese mutigen Juden zu diesem Schritt entschlossen, weil sie opponierten: Sie hatten beschlossen, sich dem vom deutschen Staat für sie vorgesehenen Schicksal – nämlich deportiert zu werden – zu verweigern. Von ihren seit Oktober 1941 abgeholten SchicksalsgenossInnen waren sie meist ohne ein weiteres Lebenszeichen von ihrem neuen Lebensort geblieben, und die wenigen Nachrichten, die einzelne aus den ominösen Lagern senden konnten, waren beängstigend – hinzu drangen aus der Gerüchteküche schlimme, nicht nachprüfbare Horrorgeschichten zu ihnen. Sie hatten sich entschieden, lieber in der vertrauten Stadt zu obdachlosen Flüchtlingen zu werden, als an unbekannte Orte gebracht zu werden, von denen niemand wusste, was sie dort erwartet. In der Millionenstadt Berlin war es möglich, nicht als Jude erkannt zu werden. In kleineren Orten allerdings, wo man als Jüdin oder Jude bekannt war, war das Risiko der Denunziation extrem hoch. Die Kunst dieser illegalen Existenzweise bestand darin, in eine „arische" Existenz zu schlüpfen, und niemanden den prekären Zustand der Obdachlosigkeit merken zu lassen. Sie mussten gepflegt aussehen, durften nicht krank werden oder als Kriminelle auffallen und mussten ausreichend Geld und Nahrung zur Verfügung haben, was außerhalb des regulierten Lebensmittelmarktes sehr schwer war. Neben diesen rein organisatorischen Hürden bedeutete es eine große schauspielerische sowie psychische Leistung, aus der gewohnten Rolle des/der verfolgten Juden/Jüdin herauszutreten und in die Identität einer angenommenen „arischen" Person zu schlüpfen. Welch organisatorisches Geschick, welche Chuzpe und welches Selbstbewusstsein waren erforderlich, diese Rollen erfolgreich zu spielen! Und wenn sie nicht überzeugend gespielt wurden, drohten Gestapo und Deportation. Selbst wenn die schauspielerische Leistung hervorragend war, konnten andere Unwägbarkeiten von einer Sekunde zur anderen dieses Leben wie auf dem Drahtseil zerstören. Die Flüchtlinge nahmen dieses erbärmliche gehetzte Leben in Kauf, weil sie sich dagegen auflehnten, dass es nur einen einzigen Weg, nämlich die Deportation, für sie geben sollte. Sie nahmen ihr Leben in die eigene Hand und hofften auf ein gutes Ende. Die vier Protagonisten des Films hatten es tatsächlich geschafft. Und so stellt sich heute die berechtigte Frage, ob das Untertauchen eine wirkliche Option für alle damaligen Juden in Deutschland gewesen war, um sich zu retten. Unsere klare Antwort ist: nein. Die meisten Juden in Deutschland waren staatstreue Bürger, die stolz darauf waren, bis 1933 gleichberechtigte Mitglieder der Gesellschaft zu sein. Ihnen war mehrheitlich der Gedanke an einen möglichen Widerstand gegen den Staat – auch wenn er sie verfolgte – nicht in die Wiege gelegt worden. Es waren die jungen Juden, die hellhörig und hellsichtig spürten, dass alle Maßnahmen des Staates gegen die Juden nur das Ziel der Auslöschung – wie immer man sie sich vorzustellen hätte – haben konnte. Daher ist die Situation, wie Ruths Bruder Erich Joachim mit seinem Vater über das Untertauchen diskutiert, eine Schlüsselszene. Ruth und ihr Bruder waren damals jung und wollten leben. Den jungen Leuten war wichtig, sich gemeinsam mit ihren Eltern und ihren Freunden zu retten. Es liegt in der Natur der Sache, dass Widerstand immer nur eine Option für wenige sein kann. Wir müssen es ehrlich konstatieren: Den meisten Juden in Deutschland war es aufgrund ihrer Prägungen und ihrer Staatstreue unmöglich, in den Untergrund zu gehen.

Diese Erkenntnisse beruhen auf unserer langjährigen Forschung in der *Gedenkstätte Stille Helden*. Seit mehr als zehn Jahren werden Details dieser Überlebensgeschichten gesammelt, zusammengetragen und ausgestellt. Auch in den Fällen der vier Film-Protagonisten haben wir Historikerinnen manches Detail klären können, was die Betroffenen selber nicht wissen konnten.

Wie viele Juden tatsächlich untertauchten, können und werden wir nie wissen. Die Zahlen der wieder „Aufgetauchten" kennen wir nur für Berlin. Aber auch diese verändern sie sich im Verlauf des Forschungsprozesses weiter nach oben, wenn neue Quellen hinzukommen. Wir schätzen, dass 7000-10.000 Juden in Deutschland versuchten, sich der Deportation durch Flucht zu entziehen. Ungefähr 2000 Juden haben bisher nachweislich in Berlin überlebt, für ganz Deutschland schätzen wir, dass maximal 5000 Juden versteckt überlebten.

Auf der anderen Seite dieser Geschichten stehen diejenigen, die den untergetauchten Juden beistanden. Auch sie leisteten Widerstand.

Sie, die deutschen „Arier", nahmen die Ausgrenzung der Juden aus der Gesellschaft wahr, und manche – wie Hans Winkler – entschieden sich gleich 1933 dafür, die Freundschaft zu jüdischen Freunden bewusst weiterzuführen. Sie schauten nicht weg, als ihre Freunde, Nachbarn, Kollegen, Geschäftspartner, Ärzte und Lehrer als Juden weggedrängt und verfolgt wurden. Sie konnten zwar nicht konkret eingreifen, aber zeigten heimlich ihre Verbundenheit mit ihnen, unterstützten sie mit ihrem Wohlwollen und ihrer offenen Antipathie gegen die anti-jüdischen NS-Gesetze. Dies bedeutete, sich gegen die Mehrheit zu stellen, und dazu benötigte man Mut und eine eindeutige Haltung zu dem, was politisch im Land geschah. Die Motive der HelferInnen waren so vielfältig und unterschiedlich wie sie selber. Vom politischen Gegner aus dem früheren linken Parteienspektrum über Humanisten, Liberale und Kirchenleute aus beiden christlichen Konfessionen bis zu enttäuschten Nationalsozialisten und völlig Unpolitischen reichte die Bandbreite der HelferInnen. Es halfen Frauen und Männer, die ihre Schützlinge vorher nicht gekannt hatten. Sie bildeten filigrane Netzwerke für diesen einen Zweck: einzelne Verfolgte vor dem verordneten Schicksal zu bewahren. Sie wussten, dass es widersinnig und falsch war, Menschen in Rassen zu sortieren und diese als gute und schlechte zu bewerten. Sie bewahrten sich das, was wir „humane Orientierung" nennen. Wir wissen heute, dass sie damals das Richtige taten. Damals folgten unterschiedliche Sanktionen, wenn sie entdeckt wurden.

Sowohl die Jüdinnen und Juden, die untertauchten, als auch ihre HelferInnen bezeichnen wir als Stille Helden. Viele UnterstützerInnen von Juden wurden in der Zeit nach 1945 angefeindet, denn sie hatten der Mehrheit vor Augen geführt, dass man durchaus etwas gegen die Judenverfolgung tun konnte. In den meisten Fällen haben weder die untergetauchten Juden noch ihre Helfer die Wahrheit über den systematischen Mord an den europäischen Juden gewusst. Für ihr Handeln reichte ihnen zu sehen, wie alle Juden zu rechtlosen Wesen wurden, die jeder Deutsche demütigen, drangsalieren und ausplündern durfte.

Dieses Buch versteht sich als Ergänzung zum Film. Dies ist sinnvoll, denn die hohe Komplexität der Geschichten verlangt nach zusätzlichen Informationen, nach mehr Hintergrund und nach profunder Tiefe der Zusammenhänge.

Claus Räfle und Alejandra Lopez ist es zu verdanken, dass „Die Unsichtbaren" in diesem Film für uns heute sichtbar werden. In dem gut arrangierten Wechsel zwischen den Berichten der historischen Akteure und den Spielfilmszenen werden die abenteuerlichen und oft unglaublich anmutenden Überlebensepisoden erzählt. Sie haben so, beziehungsweise so ähnlich, tatsächlich stattgefunden. Auch wenn die Geschichten von Eugen Herman-Friede, der Familie Arndt und Cioma Schönhaus schon veröffentlicht sind, werden sie durch das Medium Film auf eine ganz andere Art plastisch und lebendig. Insbesondere die Betrachtungen der vier ehemaligen „Unsichtbaren" am Ende des Films können die Zuschauer tiefer berühren als alle Worte in schriftlicher Form.

Barbara Schieb
Gedenkstätte Stille Helden Berlin

„Museum Blindenwerkstatt Otto Weidt" in der Rosenthaler Straße 39 in Berlin-Mitte. Otto Weidt gehörte zu den Unerschrockenen, der Juden vor der Deportation gerettet hat.

DANKSAGUNG

Wir bedanken uns für die Unterstützung und Hilfe und auch Geduld während all der Jahre, in denen wir – seit 2009 – mit der Recherche und den Vorbereitungen zum Film „Die Unsichtbaren – wir wollen leben" begonnen hatten und beschäftigt waren.

Leider konnten Ruth Gumpel und Cioma Schönhaus die Fertigstellung von Film und Buch nicht mehr erleben. Ruth Gumpel starb 2012 in Petaluma, California, und Cioma Schönhaus 2015 in Biel-Benken in der Schweiz.

Vielen, vielen Dank an unsere Zeitzeugen
Hanni Levy, Eugen Herman-Friede, Ruth Gumpel, Cioma Schönhaus
ihren Kindern und Lebenspartnern
Nicole und René Levy, Roswitha Majer, Frank und Axel Friede, Stanley Gumpel, Sascha und David Schönhaus
und dem Holocaust-Überlebenden
Heinz *Coco* Schumann
sowie den so unermüdlich recherchierenden Historikerinnen der Gedenkstätte Deutscher Widerstand, Berlin
Barbara Schieb und Dr. Beate Kosmala von der Gedenkstätte Stille Helden bei der Gedenkstätte
sowie
Bärbel Petersen, Christine Zahl, Howard Harrington und Felix Zimmermann, Joachim Lütticke, Jörg Widmer, KD Gruber, Tobis Film
und natürlich den Schauspielern, die die Unsichtbaren so wunderbar spielten
Alice Dwyer, Ruby O Fee, Aaron Altaras, Max Mauff

Und ganz besonders danke ich meiner Frau und Co-Autorin unseres gemeinsamen Drehbuches, Alejandra López, ohne die dies nicht möglich gewesen wäre – sowie unserer Tochter Philippa, die während der Dreharbeiten zu den Unsichtbaren am 24. April 2016 zur Welt kam.

WEITERFÜHRENDE LITERATUR

Aly, Götz: Hitlers Volksstaat. Raub, Rassenkrieg und nationaler Sozialismus, Frankfurt am Main 2005

Andreas-Friedrich, Ruth: Der Schattenmann. Tagebuchaufzeichnungen 1938–1948, Frankfurt am Main 2000

Bahar, Isaak: „Versprich mir, dass Du am Leben bleibst". Ein jüdisches Schicksal, München 2006

Beck, Gad: Und Gad ging zu David. Erinnerungen, Berlin 1995

Deutschkron, Inge: Ich trug den gelben Stern, Köln 1978

Fest, Joachim C.: Hitler. Eine Biographie, Frankfurt am Main/Berlin 1987

Friedlander, Margot mit Malin Schwerdtfeger: „Versuche dein Leben zu machen". Als Jüdin versteckt in Berlin, Reinbek 2008

Gerwarth, Robert: Reinhard Heydrich. Biografie, München 2011

Goñi, Uki: Odessa. Die wahre Geschichte. Fluchthilfe für NS-Kriegsverbrecher, Berlin 2006

Herman-Friede, Eugen: Für Freudensprünge keine Zeit. Erinnerung an Illegalität und Aufbegehren 1942–1948, Berlin 1994

Jalowicz Simon, Marie: Untergetaucht. Eine junge Frau überlebt in Berlin 1940–1945, Frankfurt am Main 2014

Karski, Jan: Mein Bericht an die Welt, Berlin/Frankfurt am Main 2011

Kroh, Ferdinand: David kämpft. Vom jüdischen Widerstand gegen Hitler, Reinbek 2000

Lewyn, Bert und Bev Saltzman Lewyn: Versteckt in Berlin. Eine Geschichte von Flucht und Verfolgung 1942–1945, Berlin 2009

Liebrecht, Heinrich F.: „Nicht mitzuhassen, mitzulieben bin ich da". Mein Weg durch die Hölle des Dritten Reiches, Freiburg i. Br./Basel/Wien 1990

Lovenheim, Barbara: Überleben im Verborgenen. Sieben Juden in Berlin, Berlin 2002

Orbach, Larry und Vivien Orbach Smith: Soaring Underground. Autobiographie eines jüdischen Jugendlichen im Berliner Untergrund, Berlin 1998

Scheer, Regina: Im Schatten der Sterne. Eine jüdische Widerstandsgruppe, Berlin 2004

Schellenberg, Walter: Hitlers letzter Geheimdienstchef. Erinnerungen, Frankfurt am Main 2008

Scheurenberg, Klaus: Ich will leben. Ein autobiographischer Bericht, Berlin 1982

Schönhaus, Cioma: Der Passfälscher. Die unglaubliche Geschichte eines jungen Grafikers, der im Untergrund gegen die Nazis kämpfte, Frankfurt 2004

Shirer, William L.: Aufstieg und Fall des Dritten Reiches, Köln 2000

Tausendfreund, Doris: Erzwungener Verrat. Jüdische „Greifer" im Dienst der Gestapo, Berlin 2006

Ullrich, Volker: Adolf Hitler. Die Jahre des Aufstiegs, Frankfurt am Main 2013

Wassiltschikow, Marie: Die Berliner Tagebücher der Marie „Missie" Wassiltschikow 1940–1945, Berlin 1987

Wildt, Michael: Die Generation des Unbedingten. Das Führungskorps des Reichssicherheitshauptamtes, Hamburg 2002

Wyden, Peter: Stella, Göttingen 1992

DIE DARSTELLER DER ZEITZEUGEN IM FILM

Hanni/Hannelore Weissenberg und Viktoria Kolzer:
Alice Dwyer (rechts) und Naomi Krauss (links)

Ruth Arndt und Ellen Lewinsky:
Ruby O. Fee (rechts) und Victoria Schulz (links)

Cioma Schönhaus: Max Mauff

Eugen Herman-Friede: Aaron Altaras

Hans Winkler: Andreas Schmidt

Werner Scharff: Florian Lukas

Bruno Gumpel und Jochen Arndt: Rick Okon (rechts)
und Lucas Reiber (links)

Stella Goldschlag: Laila Maria Witt

Ciomas Eltern: Adriana Altaras und Dietmar Voigt

Lina Arndt, die Mutter von Ruth und Jochen: Jelena
Bolsuna